生活十讲

10 lectures
about life

长江出版传媒
长江文艺出版社

Works Of Chiang Hsun

蒋勋

自序

Preface

有自信的人，对于自己所拥有的东西，是一种充满而富足的感觉，他可能看到别人有而自己没有的东西，会觉得羡慕、敬佩，进而欢喜赞叹，但他回过头来还是很安分地做自己。

二十世纪九〇年代，我在一家电台主持了一个名叫“文化广场”的广播节目。每星期一次，大约一个小时，谈一些与文化有关的现象。

我当时在大学美术系任教，但是不觉得广义的“文化”应该局限在狭窄的艺术范围。相反的，社会里许多与人的生活有关的现象，常常比艺术更能反映出文化的本质。

我把一星期接触到的社会现象做话题，也许与食衣住行有关，也许是从一个谋杀案件里看到的伦理或爱情关系，也许是价值体系里不容易觉察的保守性与堕落性……

文化往往不是呈现在上层的文化礼教中，却点点滴滴渗透在生活不知不觉的行为之中。

这个节目一做十年，得过金钟奖，随着电台的路况实时报告频道，成为全岛无远弗届的收听节目。

十年的录音，收藏在电台的仓库，当年负责录音控制室的翁先生因肝病去世，我也中止了这个节目。

许多年后，有做公益的朋友找出录音，制作成数字光盘，我授权捐给监狱的受刑人，使我常常收到狱中的信，告知他们在寂寞困顿中从声音得到的些许安慰。

二〇〇八年初联合文学的玉昌、晴惠谈到他们家多年来保留的一套录音，询问文字整理的可能。

我对过去的东西没有太多眷恋，船过水无痕，不想再听，也不想再看。

但是一年中，玉昌、晴惠真的整理出了这本《生活十讲》，我没有太多话说，只能说：谢谢！

希望当年谈的事件现象，无论多么混杂浊乱，十年过去，在一个崭新的世纪，能够沉淀出一种清明。

二〇〇九年一月二十二日于八里

目录

CONTENT

一个唯利是图的社会，每一个人都会在物化自己与他人的过程中成为受害者。

第I讲

新价值

经常在报纸上，看到一个受过高等教育的年轻人，做出很傻的事情，或者因为在感情上找不到出口，伤害自己或伤害别人，甚至是自己的亲生父母。这些现象会使人怀疑，现代年轻人的价值观是不是出现问题？

我个人觉得，年轻人本身是无辜的。

价值观的形成是一个过程，我们现在看到那些令人错愕的行为，是一个“果”，而真正需要探究，则是形成这个“果”的“因”。在长期唯考试导向的教育体制中，我们是允许学生升学科目得满分，在道德、人格、感情培养的部分，根本可以是零分。因此产生这些现象，错愕吗？我一点也不觉得。

这个问题不是现在才有，在我那一个年代就开始发生。我们很少思考为什么要孩子上好的高中、好的大学，其实一点意义也没有。譬如我从事艺术工作，关心的是创作力、关心人性的美，我在不同的学校教过，从联考分数最低的学校到联考分数最高的学校，我都教过。以我所教授的科系而言，我不觉得这些学校之间有太大的差别。

如果你实际接触到学科分数低的学生，就会知道，他们没有花很多时间准备考试，相反的，他花很多时间在了解人。譬如说看电影或者读小说，从中就有很多机会碰触到人性的问题。

可是专门会考试的学生呢？往往才是真正的问题所在。一九九八年发生震惊社会的王水事件，一个女孩子因为和另一个女孩子与同一个男友交往，在慌张之际，就把化学方面的专长用出来，她调出了“王水”，犯下谋杀案。

我们可以说，她的专业知识分数非常高，但她在道德跟情感处理上是零分。

她是坏或是残酷吗？我不觉得，她根本没有其他选择。平常她没有这样的准备，缺乏对人性的了解，我称她为“无所措手”族，她根本不知道怎么办。所以最后警方带她到现场时，她很茫然；她当然茫然，因为她根本不知道自己做了什么。

这些个案非常明显的就是我们说的“好学生”，他们要进的科系和研究所，都是最难考的，他们从小就埋头在升学、考试里，忽略了其他。从很多年前我就很怕这样的人，我觉得这样的人一旦犯罪，对于“罪”的本质，完全不了解，因为他根本没有机会接触。

所以我一直觉得，如果要指责这样的事情，矛头应该是指向一个教育的架构，这个架构教育出一批批像这样非常奇怪的人。

我听过很多明星学校内发生的人际关系，包括在二十多年前出版的《拒绝联考的小子》，就已经指证出明星学校内，为了考试、拿高分，同学之间如何斗争，如何去伤害别人。我听过太多这一类的事，也隐约感觉到考试导向继续发展下去，我们的孩子会发生很可怕的事。

而这些已经发生的新闻事件，就是我们受的“恶果”。

从文学中寻找人生的解答

我举一个例子，我自己在十三四岁的时候，大概初中一二年级，我很苦闷。我相信凡人处在一个生理发育、转变的时期，就是他最敏感的时候。不只是身体开始变化，声音变粗、性征出现，等等，更重要的是他开始意识到自己身体的存在性。我想，中外古今所有的重要时刻，就在此时，也就是启蒙时刻。

在那个时候，我感觉到身体的苦闷，却无法解答。因为生理的苦闷引发我开始去思考人到底是什么，我到底是动物还是人？我的精神在哪里？我的精神向往和肉体的欲望冲突得很严重。我不知道女孩子会不会这么严重？以男孩子来说，包括我和我的同伴，都是非常严重的，那是一种来自于生理上奇怪的压力。

于是我很自然地就找上了文学。我在书店读文学书，在文学里削减了许多欲望上的苦闷，并尝试去解答自己从何而来，要到哪里去，我是什么，这些难以解答的课题。

因为这样，有一段时间，我原来很好的功课就耽误了，那几次考试的结果都非常糟。我因此被学校、被家里指责成一个坏学生、坏孩子。我想，在那一刹那之间，我是非常容易变坏的。幸好文学救了我，让我有足够的自信，不但没有变坏，并且在文学中得到很多关于人生课题的解答。

同一个时间，我的同伴一头钻进考试里。这些同学，今天我回头去看的时候，发现他们都过得不快乐。他们考上了最好的高中、最好的大学,有些也留学回来了,但对于感情或是婚姻各方面所发生的问题，他们都没有办法面对。

对于人性和真正的自我，他们始终没有机会去碰触，因为考试不会考。

我们评断一个学生，是坏学生、坏孩子，因为他的分数不够，可是他对人性可能已经有很丰富的理解；我们评断一个好学生、好孩子，也是用分数，却不代表他有能力面对情感和伦理的种种课题。分数和人格的发展绝对是两回事，法律系的高才生不表示不会犯罪，他可能熟背法律条文，了解各种法令，可是对于“什么叫做罪？”不一定理解。所以我们会看到“高等学府的法律系学生为了购买手机，在电梯内抢夺女孩皮包”这样的新闻。

自由是什么？罪是什么？为什么会为了一个小小的事情去伤害别人？我记得新闻出来时，所有的朋友都在说：“想要手机，我送他一只嘛，怎么会愚蠢到这种地步呢？”

这只是提醒我们，知识完全不等于智慧，也完全没有办法转换成智慧。

我们从另一个角度来看，这些好学生、好孩子即使犯案，手法都是最笨的。他跑到 PUB 去，在电梯内抢劫，当场就被 PUB 里的人抓到。PUB 是一个龙蛇杂处的地方，那里的年轻人其实都比他聪明，比他更懂得人性上的复杂。当他忽然发现掉入一个自己最没有办法处理的世界时，已经来不及了。

是悲剧吧！却令人难以同情。

这个社会一直在制造这样的一批“好学生”，他们本身也扬扬得意，因为一路走来都是被捧得高高的“资优生”，因为他们可以考到那么好的学校、读那么好的科系。他们从来没有怀疑过自己有问题。

我要呼吁的是，所谓的“明星学校”从来没有给你任何保障，知识分数越高的人，自己要特别小心，因为你将来要面对的生活难题，都不在这些分数里面。

豢养考试机器的学校

这几年来发生的资优生犯罪事件，正好说明了我们的教育应该拿出来做最好的检查。为什么在这么一个教育系统中，连知识分子的自负都消失了？以前作为一个知识分子是“士不可以不弘毅，任重而道远”，有些事是知识分子不屑做的，为什么这种士的自负在校园中式微了？我觉得，这是教育本质上的最大问题。

当然，这几年来，有很多人在做亡羊补牢的工作，开始注意到社区活动，开始注意到人文教育、艺术教育，但是我觉得做得不够。譬如说，大学开始教艺术欣赏，却没有适当的师资，最后可能就变成一个形式。

我想强调的是说，学校绝对不是训练一批考试机器的场所，这些孩子不能够这样被牺牲。有时候，我真的觉得这些豢养考试机器的学校，就像养鸡场、养猪场，让人觉得是一个巨大的悲剧。我们应该是给孩子最好的音乐、最好的文学、最好的电影，让他们在里面自然地熏陶。而这些，是不能考试的。

我曾经帮朋友代课，带大学舞蹈系先修班的孩子，他们大概都是大一的程度。因为要代三个星期的课，我很想认识他们，所以请他们画自画像，然后准备两分钟的自我介绍。他们不是美术系的学生，当然自画像画得不是很好，我的目的也不是要他们画得好，只是希望他们可以在镜子里看看自己。课后，好多学生告诉我，这是他第一次透过镜子好好地看自己。

如果一个人从来没有好好地在镜子里看过自己，他对自己是非常陌生的，而这是多么危险的一件事。

一九九八年的林口弑亲案，一个十九岁的孩子和同伴联手杀害熟睡中的双亲，后来母亲醒来，向他们求饶，他的同伴不敢下手，因为同伴常常去他家，妈妈对他们很好，最后是这个孩子动手。

我想，他从来没有在镜子里面对自己吧！他自己的美或丑、他自己的残酷或温柔，他都不了解。所以当他做出这样的事时，可以无动于衷。

人真的应该常常在镜子中面对自己，思考自己的可能性。

当我在课堂上，请学生做这个作业的时候，几乎有一半的学生最后都哭了。我才发现他们内在有一个这么寂寞的自己，是他们不敢面对的。

原本限定两分钟的自我介绍，最后我们都停不下来。过程中有人跑上台，拿卫生纸给说到伤心处的同学，我问他："你觉得你的同学，这时候只需要卫生纸吗？"他懂了我的意思，就坐在朋友旁边，听他把话讲完。

还有一些学生完全不肯讲，上台以后，只看到泪水在眼眶里打转，一句话也不说。我当时也没有强迫他们讲。到了第三个礼拜，我私下和这一批学生吃饭，因为我不能让他们的话不讲出来，最后他们说了，我才知道这些不说话的孩子有这么多的问题。他们的父母听过这些话吗？没有。老师听过这些话吗？没有。在升学体制中，没有人给他们这样的管道。

学校的辅导室是空设的。你说这些学生，会无端端地跑到辅导室去做心灵的告解吗？挂一个辅导的牌子有什么用，要真正去发现他们，用艺术的方法引导他们，把他们内心的东西引出来才有意义。因为这些说不出口的话，积压到一定的程度，会出事情的，这令我非常担忧。

一切都在商品化

所以我们提到价值观，重点不在于年轻人的价值观，而是整个社会的价值观。

当社会的整体价值观是“唯利是图”，年轻人的价值观也只会有一个字：利。

以电视节目来说，媒体关心的是有没有广告，会不会卖？这就会让孩子模仿到一切东西都是可以用“买卖”作为价值判断。社会在制造商品，人也变成商品，在商品化、消费化的鼓励中，就会产生对于戕害生命无动于衷的结局。

如果要检讨的话，就应该是做整体的、全盘的检讨，而不是在个体行为上。因为一个唯利是图的社会，每一个人都会在物化自己与他人的过程中成为受害者。

其实，我们的社会对于人的商品化、物化，比欧美国家严重许多。你可以看到，政治在商品化，政治人物露面前要先经过商业化的包装，譬如某位“部长”和一个穿着少数民族服装的人，站在一起倡导族群融合，譬如选举活动的设计让我们不管他当不当选，都觉得难过。

教育也在商品化，一切都在商品化，连宣传公益都要靠广告包装。

这个现象让人非常害怕，如果我们不能意识到这一点，并以实际行动做一些制衡的话，就只能被牵着鼻子走，而那些令人错愕的事也会继续发生。我们无法期待打开报纸会看到什么好消息，照这样走下去，结局只会越来越严重。

物质消费成了共同价值观

我们知道工业革命最先发生在英国，距今约两百年，而制衡的力量也在十九世纪中叶出现。一方面科技发展得很快，资本主义兴起，人们开始从农村往城市聚集，就在一座巨大的城市中，商品消费的观念形成。

因为把大量的工人找来，就要付出大量的薪水，所以需要大量的生产。生产之后，当然就要有大量的消费，如果没有消费，货卖不出去，就赚不到钱，养不起这么多的工人，工厂就会倒闭。基本上，消费生产是一个连锁的机制，一开始不见得不好，生产、消费，刺激更多的生产，就有更多的消费。

从一年生产出五百辆车子，到一年生产出五千辆车子，然后是五万、五十万，一直到一年生产五百万辆车子的时候，怎么办？只好靠广告竞争，刺激原本不需要购买的消费者购买。

于是消费和生产就变成一种恶性循环，而人也常常在不自觉中消费。我们不妨思考一下，你为什么要买这件衣服？为什么要买这块面包？为什么要买这部车子？是需要，或是因为物质消费已经变成一种共同的价值观？

譬如在前面提到的新闻个案中，那位大学生是不是真的需要一只手机呢？以前我们说，实在饿得没有饭吃了，只好去抢钱，这还值得同情，因为那是最低层次的选择。可是今天很多的抢劫事件不是为了生存，而是连犯罪这件事情都被物化，堕入消费循环中。

知识分子的风范

其实过去的知识分子是有一种叫做“风范”的东西，就是他们对于人的定位，是非常清楚的。

虽然现在讲起来简直就像在讲天宝遗事，这些老先生很多都过世了。他们经历整个近代史这么一个大变迁时代，锻炼出一种知识分子很特殊的“风范”。风范听起来很抽象，我自己的观察是他们有一个共同的特征，基本上就是他们从小读古书，不管是中国的或是日本的，受到东方文明非常优秀的训练，使他们对于人性有一种道德上的相信。

我们读古书，如《庄子》《老子》《论语》《中庸》《孟子》，基本上都是在谈人的定位，很少是技术、知识上的东西。所以过去的知识分子在“人文”这个部分，基础深厚。后来他们也开始读西方经典，读到十九世纪时一些人文主义很强的作品如《战争与和平》，接着又经历了一个新的社会革命，譬如说五四运动，或者后来更晚一点的中日战争，他们在这里面历练很多。所以当他们到台湾尘埃落定时，我想他们身上真的有一种成熟，是后代的知识分子无法超越的。

战后稳定下来了，他们把对人的关怀转化成对教育的理想和热情，几乎是当成宗教一样的投入。我一九七六年从巴黎回来时，认识了俞大纲老师，他那时候在馆前路有一间办公室，每个礼拜三早上在那里读唐诗，读李商隐、读李贺。在座的一批人就是后来创办汉声杂志社的吴美云、黄永松，还有云门舞集的林怀民、吴素君、郑淑姬，雅音小集的郭小庄、我、奚淞。我们这一批人在那边上课，也不是为了考试，也不是为了什么，就是每个礼拜有一天去见俞老师觉得很快乐。

在那边，我常常会提出跟俞老师不一样的想法，别的人会觉得很不礼貌，可是俞老师跟我很好，我会觉得，其实他就是对人文的相信。所以在俞老师过世的葬礼上，我们这一批人特别会觉得身上有一种负担，我们要继承俞老师所构成的东西，就是文化，并且把它传承下去。

譬如说林怀民会关心民间戏曲，是因为俞老师有一次跟我们跑到板桥，到庙里去看歌仔戏。过去我们会觉得俞老师成长自文人家庭，应该不会接触民间歌仔戏，结果歌仔戏一开始，老师就跟我们说歌仔戏的内容，我们吓一跳，问俞老师怎么都知道？他说，其实戏曲就是那么几个源流，歌仔戏、四川剧都是一样的源流，那就是所谓“文化的根本”，所以即使没有看过歌仔戏，他还是知道这个典故是出自《左传》。这就是说，你如果有办法把文化的根本弄好，后面很多东西就很顺利，但我们现在的做法却是相反，追求支微末节的东西，反而把“本”失掉了。

亲近这位老先生对我的影响非常大，也让我今天不管怎么样，都会回头去读像十三经这样的古书籍，这些书里面讲的都是很根本的、属于人性的东西，就是做人的纲要。我想，知识属于人，了解了人，无论你学到什么新的知识，都能结合在一起，不会有断裂的感觉。因为任何知识都要回归到人的本分，知识回不到人的本分，那个知识就一定会出问题。

以人为本的教育

然而，现在我们要传承这样的风范是比较艰难的。整个社会物化的速度越来越快，范围越来越广，很少人能逃过物化的影响。教育也越来越无能为力，尤其又卡在一个考试升学制度，如果没有办法对抗这个制度，就没有办法去扭转孩子的观念。

很少人会有勇气去对抗这个制度，你怎么敢对一个高中生说：你不要考试，不要升学，你现在正是最敏感的年纪，应该去画画、去读小说。

我不敢讲这个话，因为要面对的是巨大的压力，他的父母、他的学校、他的同学、整个社会的价值观，这个时候要谈人性、谈文化的根本，真的非常困难。

俞老师教我们时，我们的学业大都完成了，所以在那边上课时，我们有一种自在，这也是我为什么辞掉大学的工作，宁可去教一些社会人士，因为他们没有考试的压力，我可以畅所欲言。今天连在大学都很难，后面还有一个研究所入学考试。我刚开始在大学教书时，还没有那么多人想报考研究所，学生很好教，但是现在，几乎每个人一进大学就在想研究所，连选课都会注意这一个老师是不是研究所的老师？凡事以考试为导向，升学为目标，若教育体制从小学到大学都是如此，他们会愿意谈人性、谈艺术、谈文化吗？

可是，有一天他会发现他需要这些东西。我有一个学生就是如此，毕业后在画廊工作，画廊需要很多专业知识，他才发觉自己美术史没有学好，所以花很贵的学费重新回来上我的课。他绕了一大圈，还是回来了。

我想，在体制不变的状况下，我拉着学生来谈人性、谈美学，是没有意义的。可是我会等着，等一个他们愿意听我说话的时机。

我也不会鼓励学生去对抗制度。虽然我自己是这么做的，我在初中就从体制中出走了，高中联考也没有考取，但我不觉得自己现在是失败的。

只是我也要诚实地说，这么做很危险，因为孩子要面对非常巨大的价值压力，很可能会崩溃、变坏、扭曲，真的要非常小心。我自己在教书的过程中，若是很确信要带这么一个所谓“叛逆”的孩子时，我会长期跟他保持联系，让他这条路走得更稳，让他更有信心。这才是教育真正应该要做的事。老师一定要是人师，也永远要以人为本；教育本身就是人的关心。

当然，在体制内做最大的争取与改革，不能只靠老师，我想就算俞大纲先生在这个时代，他们也会是很安静的。其实俞老师的时代，对他来讲已经是一个忧伤的时代了，可是，他是在一个非常优雅的文人家庭长大,他的哥哥俞大维、俞大绂,妹妹俞大綵,也都是一等一的“院士”。俞大维虽然是世界有名的弹道学专家，可是你听他谈起古学，也是非常精彩。这种家庭真的不得了，就是因为家教严，国学基础好，又学习到非常好的西学，而能成就他们的风范。

俞大纲对我说，他爸爸妈妈喜欢看戏，经常带他一起看戏、讲戏，他就变成戏剧专家了。他的教育是在日常生活中耳濡目染的，从来不是拿着书本上课，所以你听他讲李商隐，一首一首讲，不需要看书，因为从小爸爸就是跟他一面吟诗，一面唱戏，把李商隐讲完了。

我想，一个好的人文教育，还是要扎根在生活的土壤里的吧。

欧洲的精英分子不少也是这样出来的。法国当代作家尤瑟纳尔（Marguerite Yourcenar），她是贵族出身，从来没有进过学校，但是她在一个很人文的环境中成长,从小父亲就带她看书、鼓励她写作。当然,现代家庭恐怕很难不把孩子送进学校在家教育。可是重要的是，教育不能够只求量，不求质，学校不是制造商，让学生一批一批得到文凭毕业就好了，还是要关心人的问题。即便是在这么一个物化的体制中，学校老师受限于许多的政策，至少要抱持着一种想法：能够关心几个就几个，尽到自己的最大努力。

倾听孩子的心事

教育不是在教书，事实上这是一份救人的工作。

当我让孩子画了自画像，听他们讲述自己的故事而痛哭流涕的时候，我真的觉得这是一份救人的工作。你没有办法想象他们内心里会有这么多的事情，这么的严重，因为他们讲出来了，因为他们哭了，他们不会走错路。

有的孩子告诉我，只要能不回家，他一定不要回家。这句话如果让他的父母听见了，一定会吓一跳。

事实上，这群孩子的父母正好是在台湾经济起飞的那一代，当他们在努力创造经济奇迹时，对于孩子却疏忽了关怀。所以这些孩子不是为反叛而反叛，他们是在反叛某一种程度的冷漠与疏离。

很多父母与教师真的忽略了一件事，他们所教育对象不是一个物品，是一个人。你的任何举动，都可能对孩子的一生产生极大的影响。你的一点点关心，也会改变孩子的一生。就像那次自画像的活动结束后，学生们抱头痛哭，我走过去揉揉他们的肩膀，我相信他们会感受到。

我不知道为什么我们的社会会忙成这样子？没有时间停下来倾听孩子的心事，没有时间揉揉孩子的肩膀。

最让我惊讶的一次是我在大学担任系主任时，一个女学生不见了，一个星期都没有来上课，我打电话给她妈妈，她说："我生意好忙耶，我把小孩交到你们学校，就是你们要负责，你们还要问我？"

我听了真的吓一大跳。

我的父母不是这样的父母，他们是不必等学校老师通知，就常常跟学校保持联络的。所以我不懂现在的父母，为什么七天不见孩子，还能忙着做生意？

我们今天面对一个长期以来不被注意、被忽略的课题，这个"果"已经显现在报纸上那些触目惊心的事件中了。我们冲得太快，没有办法一下子刹车，但可以慢慢地、一点一滴地去做，让物质的东西少一点，让心灵的空间大一点。

老子一直在讲"空"，他说我们之所以能用杯子喝水，因为杯子是空的；我们能住在房子里，也因为房子有空的部分。最重要的不是"有"，是"无"。

如果你的心被物质塞满了，最后对物质也不会有感觉。就好像一个吃得很饱的人，对食物不会感兴趣；而肚子饿很久的人，他在品尝食物的时候，就会得到好大的满足与快乐。

当一个孩子要什么就有什么的时候，最后他会非常不快乐，即使是杀人他都没有感觉。他已经被物质塞满了，他要的东西从来没有得不到，所以他很痛苦，这种痛苦是他的父母无法了解的。

每个角色有自己的定位

人有时候也很奇怪，会倚靠外在的东西，让自己有信心。

譬如说我小时候，大部分的孩子经济条件不好，营养也不好。但有一个同学长得特别高大、壮硕，他走起路来就虎虎生风，特别有信心。

人类的文明很有趣，慢慢发展下来，你会发现，人可以有各种不同的方式使自己有信心，但前提是要有一个比较成熟、比较丰富的文化支持。譬如说我虽然很矮，可是我在另一方面很高大，可能是在心灵方面，或者精神方面，或者有某一方面特殊技能。我很期盼有这样的一种社会，这样的文化出现，让每一个人有他自己不同的价值。

我们的社会的确已经在走向多元，举例来说，现在有很多地方都要求“无障碍空间”的设计。我小时候哪里有这种东西？残废就残废嘛。可是我们现在也不用这样的称呼了，因为他并没有废。这不只是一个名称的改变，而是人们重新思考，过去所做的判断对不对？过去的残就是废，就是没有用的人，但现在发现他不是，他可能有其他很强的能力可以发展出来。

我想这就是多元社会一个最大的基础，人不是被制化的。

制化，就像我们前面提到的，用英文分数、数学分数就决定这个学生好或不好。不把人制化，才能让人身上的其他元素有机会被发现，丰富他的自信。

我们的社会是慢慢地往这一个方向在走，但同时有一些干扰，例如重商主义、唯利是图的价值观，又会让多元趋向单一。单一化之后，就会出现这样的声音：“考上大学有什么用，歌手接一个广告就有数百万入口袋，那才实在。”

所以，价值的单一化，是我们所担心的。

一个成熟的社会，应该是每一个角色都有他自己的定位，有他不同的定位过程，每个人都能够满足于他所扮演的角色。这个观念在欧洲一些先进国家已经发展得很成熟，他们长期以来重视生命的价值，所以他们的自信，不是建立在与别人的比较上。

一味地跟别人比，迟早都会走向物化。

“够了”的快乐哲学

许多人喜欢比较，比身上是不是穿名牌的服装，开的车子是不是BMW，或是捷豹；也有人是比精神方面的，最近上了谁的课，看了哪一本书。听起来是不同的比较，精神的比较好像比物质的比较还高尚一点。

其实不一定。我认为，有比较之心就是缺乏自信。有自信的人，对于自己所拥有的东西，是一种充满而富足的感觉，他可能看到别人有而自己没有的东西，会觉得羡慕、敬佩，进而欢喜赞叹，但他回过头来还是很安分地做自己。

就像宗教或哲学里所谓的“圆满自足”，无欲无贪，充分地活在快乐的满足中。

这和“禁欲”不一样。好比宗教有成熟的和不成熟的宗教，不成熟的宗教就是在很快、很急促的时间内，要人做到“无欲无贪”，所以提倡禁欲。成熟的宗教反而是让你在欲望里面，了解什么是欲望，然后你会得到释然，觉得自在，就会有新的快乐出来，这叫做圆满自足。

西方的工业革命比我们早，科技发展比我们快，所以他们已经过了那个比较、欲求的阶段，反而回来很安分地做自己。他不会觉得赚的钱少就是不好，或是比别人低贱，也不会一窝蜂地模仿别人、复制别人的经验。在巴黎从来不会同时出现四千多家蛋挞店，这是不可能会发生的事。可是，你会在城市的某一个小角落，闻到一股很特别的香味，是咖啡店主人自己调出来的味道。二十年前，你在那里喝咖啡，二十年后，你还是会在那里喝咖啡，看着店主人慢慢变老，却还是很快乐地在那里调制咖啡。

这里面一定有一种不可替代的满足感吧！

我觉得每一次重回巴黎最大的快乐，就是可以找回这么多人的自信。每一个角落都有一个人的自信，而且安安静静的，不想去惊扰别人似的。

譬如冰激凌店的老板，他卖没有牛奶的冰激凌，几十年来店门前总是大排长龙。但他永远不会想说多开几家分店。他好像有一种“够了”

的感觉，那个“够了”是一个很难的哲学：我就是做这件事情，很开心，每一个吃到我冰激凌的人也都很快乐，所以，够了。

这种快乐是我一直希望学到的。

要让下一代有气节，也要有性情，
要理性，也要幻想，
一个多元的人才是完满跟健全的。

第II讲

新官学

我在成长的过程中，是一个非常爱语文课的人，几乎从小学开始一直到大学，我的语文成绩在班上都是数一数二；我的数学不好，语文带给我很大的成就感。然而，在最近几年有机会跟高中语文老师接触时，我吓了一跳，我们的语文教材从我读书时到现在，竟然没有太大的改变。现在的孩子还是在读文天祥的《正气歌》或方苞的《左忠毅公逸事》这一类我一直希望在我这一代就结束的文章。而庄子的蝴蝶梦则还是被排斥在教科书之外。

庄子的蝴蝶梦是一个伟大的潜意识，在主客位的转换跟交错里，可以不断开发出新的文学经验，之后很多文学作品都和这个典故有关，教科书怎么可以没有这一篇呢？那么当孩子读到李商隐的“庄生晓梦迷蝴蝶”时怎么办？

在某一个时代为了要训练一个人有绝对儒家的忠君思想，必须要有《正气歌》或《左忠毅公逸事》这一类的教材，但是这些东西是一种沉重的负担，会让人痛苦的。我要很诚实地说，我在初中、高中时活得很不快乐，常常觉得自己如果不死，就不会成为一个伟大崇高的人，因为所有伟大的文章，都是在教我“死”这件事，而且是一个很有使命感的死。我承认这些人很伟大，也很美、很感动我，但是后来让我更感动的，却是一个学生读完后问他的老师：“我可不可以不死？”老师回答他：“你当然可以不死。”这个学生又问了另一句话，他说：“那官要做到多大才应该死？”

我一直在想这个问题。我们的语文教学继承了一个大传统，这个大传统在今日社会急速转换的过程中，当然会受到挑战，但大传统并不是那么容易立刻被质疑。当我们在读方苞的《左忠毅公逸事》、读文天祥的《正气歌》时，那真的是一个悲壮的美感教育，是忠君爱国理想的极致，这是一个大传统，可是，是今日社会需要的吗？为什么美感都要走向悲壮的刑场？有没有可能让美感走向花朵？走向一个茂盛的森林？

生是为了完成悲壮的死？

一个好的文化范本，一定要有正面跟反面的思考，才是启蒙。就像那位学生问的："可不可以不死？"当"可以死""可以不死"是成立的时候，思考才会有平衡。在司马迁的时代，还说"人固有一死，或重于泰山，或轻于鸿毛"，可是为什么到了宋元以后，死就变成义无反顾的，好像唯有死才能成为戏剧的终结，生的目的竟然是为了完成这样一个悲壮的死。

美感教育会随着不同的环境改变，在一个受欺凌、受压迫的环境中，反弹出这样一个东西是情有可原的，可是这个欺凌和压迫应该是不正常的，如果假设下一代不再有这样一个压迫的时候，是不是要持续这种教学？会不会造成孩子很大的困惑？我相信，一个十几岁的孩子，在一个政治比较民主，相对开放、相对自由的社会里，他读到这篇文章，是应该要问：我可不可以不要死？我甚至觉得这应该是一个考试要出的题目。

死亡毕竟是生命里最重要的事，虽然“孔曰成仁，孟云取义”，仁跟义都有非常大的一个条件设定，可是这个条件设定，也可能被统治者拿来作为愚弄知识分子的一个手段，演变成“君要臣死，臣不得不死”，这不是何其荒谬的结局吗？

为什么“君要臣死，臣不得不死”？在“孔曰成仁，孟云取义”的时候，仁和义都还有思考性，在生命的崇高的行为选择当中，思考是不是愿意做这件事情。譬如后来编入语文课外教材的《与妻诀别书》，作者林觉民说，要助天下人爱其所爱，所以他愿意去死，死变成他生命中一个崇高的情操跟浪漫。可是如果没有经过思维性的死亡，“悲壮性”变成一种假设时，就会产生荒谬。

明史是我最不敢读的一段历史，太监、锦衣卫压迫知识分子到一种惊人的地步，他们可以用沙袋，把人压到全部内脏从嘴巴里吐出来。但是知识分子反太监，却不反皇帝，他明明是个昏君，放任锦衣卫去凌虐大臣，这个君应该要被质疑，可是为什么没有？为什么知识分子在濒死的时刻，还要南面去拜那个君？而我们还要在教育系统中，让下一代继承这样的愚忠吗？

官学阴影尚未解除

明朝万历年代，在徐渭、张岱的晚明小品里面，已经有一点启蒙运动。他们提出了性情，提出了诚实，提出了对自己生命的忏悔。最有趣的部分是徐渭、张岱都有写墓志铭的习惯，因为他们已经发现所有人写别人的墓志铭都吹捧到完全作假，所以他们就自己写自己的墓志铭。张岱的墓志铭是我最感动的，他写他自己好美婢，好娈童，然后近冥亡之际忽然感觉到自己生命的那种悲凉……我觉得完全是一个卢梭《忏悔录》的形态，可是为什么我们今天不太敢面对这些东西？那为什么还要去维护一个作假的官学传统？

教科书开放多元化，没有一致的版本，是一个进步，但是它把官学的权力释放后，并没有开出各色不同的花朵，开出来的花还是很接近，也就是官学的阴影还没有完全解放。现行教材中，可以提供思考的文字还是非常少。

当我读到梁启超的《心灵论》时，发现里面有很多非常精彩的东西，是作为一个现代公民、世界公民的概念，他引述东西方经典，建立一个开阔的世界观，他认为，如果不经过改革，我们将会失去世界公民的资格。梁启超在五四时代就提出这样的见解，可是到现在我们仍然做不到，有时候我甚至觉得，现在比五四时期要开了倒车。

在本书后面第六讲谈到神话的起源时，我特别强调，神话本身是一个起点，因为神话里面包含了幻想跟科学，这两个看起来极度矛盾的人类创造力——科学是一种创造力，幻想也是一种创造力，并都以神话为起点，就像一颗种子，很适合放在低年龄层的教科书里面，让孩子能保有这两种可能性，将来他可能会走到比较理性的科学，也可能是比较幻想的艺术。重点是，我们必须准备好这颗种子，并在他很小的时候就栽种。

不知道一般人会不会同意，在某一个意义上，我觉得老子和庄子的东西，启蒙性是比儒家的东西还要大的，因为孔子已经定位在人了，可是老子和庄子是定位在天，天本身是比较接近神话的。我很喜欢庄子讲的“浑沌”，浑沌是一个不清楚的东西，当浑沌从不清楚到清楚，其实就是创世记的过程。如果我们的孩子读到浑沌这个寓言，想象一团庞然大物，像微生物，也像生命基因那种胞胎的存在，或者是草履虫、变形虫的形状，因为浑沌是没有定形的，我们的生命都从浑沌来，后来有人说要感谢浑沌，要给它七窍，每天给它一窍，七天以后，浑沌就死了。这和《创世记》的七日创造天地刚好相反，耶和华是七日之后越来越清楚，庄子的创世记则是七天以后，浑沌死了。

庄子的意思是，只相信科学，人最后就会死亡，应该要有一个对浑沌更大的理想，就是现在说的不可测的理论，或者黑洞理论，或者

“测不准原理”。在台湾学理工的人会讲“测不准原理”，却不知道这个西方理论根本就是在讲“浑沌”。西方科学已经发现科学的极限，发现科学不够用，反而是老子、庄子有很多思想是非常近于尖端科技的观念，而像作曲家约翰·凯吉（John Cage）这些在西方受高科技影响的艺术家，也都在讲老子跟庄子，他们受到非常大的影响，因为他们发现里面有最了不起的观念，如庄子说“至大无外，至小无内”，其实就是更符合于今日科学的态度跟方法。

为什么教育不能够从这样的起点开始？而且老庄的神话又是真正的“语文”，我觉得，在语文教学中多一点让孩子有非答案性的思索过程，就是最好的思想教育。

知识本身就是权力

造成教科书被一种官学思想笼罩的原因，有可能是因为这些编辑教科书的人，本身就是受害者。包括我在内，成长过程中受到的官学教育已经发生作用，我要用非常大的力量才能够去对抗，即使如此，我讲课时可能还是会口口声声提到天地君亲师。我的意思是说，今天书读得越好的人，越可能是官学的阐述者，因为，官学已经渗入骨髓了，要反，很难！

我们看到明朝的徐渭和张岱都是反官学的，可是三四百年过去了，他们的思想并没有成为新的正统，还是被列在旁门左道，没有人敢去承认它。我想，革命者是寂寞的，必须孤单地在自己的时代里去对抗巨大的官学，而这个官学又是拥有多么大的力量，让它可以转变成各种形式，加强本身的稳定性。这种稳定是危险的，当一种文化已经长久稳定到一种程度，就很容易变成统治者愚弄人民的手段，我宁可它是不稳定的状态，因为不稳定才有调整的可能。

今天我们要把“国立编译馆”的官学权力拿掉是容易的，但是要把官学思想的阴影从编撰教科书的人身上除去，却是非常困难。因为官学思想已经变成一种像法国哲学家米歇尔·傅柯（Michel Foucault）所讲的，知识本身就是权力。这些人通过这么多次考试，拿到学位，拿到编撰教科书的资格，他当然会成为官学的维护者，不然就跟自己的身份抵触了。

但是就像那位学生与老师的对话，当学生问出：“可不可以不死？”的问题时，思想就有了颠覆的契机。当我听到这句话时，我觉得我们的启蒙运动要开始了。

而当他进一步问出：“官要做到多大才应该死？”就是对于权力的质疑：你告诉我要忠君，那你先表现给我看呀，我要先检验你们的节操，才决定我要不要去做。一九四九年时，有人就跑啦！他们没有做左忠毅公，也没有上梅花岭，而是飞到世界各国去了。

我想，年轻一代应该有更多这样的思考力，去反证这些问题。

当然，我不是反对这些文章收录到教科书里，我要强调的是“平衡”，是要让下一代有气节，也要有性情，要理性，也要幻想，一个多元的人才是完满跟健全的，如果只有一个部分，就会非常危险。

千锤百炼的经典

教育真的要一步一步地转型，文化改革本来就比政治制度的改革要难、要慢得多，因为大家还在一个框框里，这个框框一下子无法动摇。但对岛上的人来说，这是一个机会，而且刚好，我说的“刚好”是从地理位置上来说，台湾与大陆隔着一道海峡，相对于正统文化，是处于边陲，我觉得“边陲”真的是一个最可爱的位置，它不是中央，如果今天我们身在北京，那就没话说了。

在美术史上，现在北京画派跟南京画派有很大的不同。南京一直是南朝的首都，也是对抗北京（北方政权）的地方，所以南朝文化一直有一种个人的、比较文人的、反官学的思想，它不是那么明目张胆，但是有一种潜意识里的反官学。你看历史上，北方有难就往南京逃，这些逃难的人没有选择悲壮的死，而是创造出自三国吴晋到南朝宋齐梁陈的“六朝金粉”景象，去追求一些感官的、浪漫的东西。一直到现在，北京画派还是大山大水，继续伟大的传统，南京画派就出现像徐乐乐这样的新文人画，他们不去比伟大，他们觉得我本来就不伟大，他们就是要画一些有趣的小品。

与南京相比，台湾是更边陲的位置。在这个位置上，我们要思考什么是该选入教材的“经典”时，选择就不会只是现在认知的汉语经典，汉语应该也要包括河洛话、客家话吧？台湾原住民的作品是不是经典？台湾割让日本期间，如赖和、杨逵这些作家，用日语创作的作品是不是经典？在那个时代，他们接受了一个语言，这个语言就是他们的官学，他们讲日本话，又用日本话写了像《送报夫》这种抗议政权压迫的文章出来，我们要把它翻译成中文阅读吗？

这些问题是一连串的问号。这些问号代表的是挑战，其实经典之所以为经典，是要不断接受挑战，不接受挑战，就不配叫经典。很多人不敢批判经典，我却认为，经典文学本来就不是拿出来做神像供奉，是要“千锤百炼”的。像《诗经》《楚辞》这样的经典，也是经过一再的挑战，譬如说蒙古人入主中原时，蒙古人为什么要读《诗经》？里面描述的内容又与他们的生活无关，但是《诗经》还是被传承下来了，它通过挑战了。

我觉得台湾尤其适合去挑战经典。我举美术史为例，当我们说范宽的《溪山行旅图》是经典时，没有人会怀疑，可是如果我问日本殖民时代的画家陈澄波是不是经典？这就是可以讨论的，因为日本殖民时代这样一个画家，他对台湾的经典性简直跟范宽在北宋建立的经典性是相等的。当我们在台湾，可以去讨论两者的并存性，可是如果是在广东、在南京，就没有机会了，我的意思是说，只有在台湾你会为他争辩，在大陆没有人会为他争辩的，这是创作者对一个地方的特殊性，也是我们要特别珍惜的部分。

开出不一样的花朵

官学不是不好，不好的是腐败的、压迫性的官学，牢固到让个体根本不敢承认他本来就存在的个性，譬如夫妻伦理是一种官学，如果我们只承认这一个系统，而排斥同居、同性相恋，就是一种压迫；如果为了维护这个伦理，夫妻之间互相装针孔摄影机以监控对方，这就是一种腐败，而这种官学真的已经不必要了。

我记得第一次看到《美丽少年》（由独立纪录片工作者陈俊志所拍摄）这部电影时，很不习惯，我觉得这些孩子怎么这么……无聊？抽烟、染发、变装，一点都不美。然后我发现，这就是我的“官学”，我不知道为什么我们的社会会忙成这样子？

没有时间停下来倾听孩子的心事，

没有时间揉揉孩子的肩膀。

我要一个美的东西，我可以接受同性恋，但是是像邱妙津(《蒙马特遗书》作者）那样的书写，当我看《美丽少年》时，我便觉得要谈同性恋应该要谈得美一点呀，怎么这么不美?

事实上这就是我的官学了，我已经受到限制，而且还很强烈。当我觉察到这一点时，我开始很高兴有年轻一代拍出这样的电影，他们已经跳出同性恋要悲壮牺牲的框框，他们很开心，他们不要再哭哭啼啼，主角很快就在学校里跟大家讲自己的身份，甚至片中的那个父亲，还可以每天开着货车去接他那个扮演反串秀的儿子回家，我觉得这个爸爸的官学比我少好多。

我们都是已经很能够反省自己，很能够调整自己的人，可是在官学系统中，还是不免有一些阴影。譬如我们会觉得生活在边缘的人应该是受苦煎熬的，当我们忽然发现这些人既不受苦，也不煎熬时，正好就是让我们发现自己的官学不对了、要再调整了。

对我而言，《美丽少年》是一个新的神话，在我的年代不能想象这些孩子能这样活着，然后用这种方式对待自己，当我把电影看完后，发现生命里多了一些不同的东西，我很感谢这些东西，他在帮助我成长，像我这样一个很容易变保守跟僵化的年龄，还可以有机会继续成长，是一件值得开心的事。

我也在电影里看到了古老的神话，在希腊神话中，有一个神被处罚，由男性变为女性，又从女性变成男性，如此反复，所以在卢浮宫里，我们就会看到有具备男性生殖器和女性生殖器的神，因为他被惩罚了。在《美丽少年》中，也用了这个潜意识，谈到了性别跨越的问题。

柏拉图也谈过，人被分开来后去寻找自己另外一个有缺陷的部分，人和动物不同，动物的性是一种分泌，在某一个季节分泌出特定的物质，才有性的部分，而人的分泌与动物不同，可能是念一首诗，可能是演奏音乐，所以是超越性别的。柏拉图把性交分为两种，一种是生殖的性交，一种是精神的性交，动物的性交才是需要分别雌雄，而精神性的性交上只需要一个精神上依恋的对象，可以是男生也可以是女生。

台湾现在年轻一代已经可以在这个层次上讨论，我想，如果能跟他们坐下来谈一谈，他们会告诉你很多这种事。只要不用我们的官学思想去压迫，他们一定会开出不一样的花朵！

“难”绝对是生命中幸福的开始，
“容易”绝不是该庆幸的事。

第Ⅲ讲

新伦理

我们在看很多社会事件时，会从法律的角度，看到一个加害者，一个受害者。可是社会是一个非常复杂的整体，对于一件事情，除了法律观点之外，还会有道德、文化、宗教观点，任何一种观点的偏废，都是不好的。社会本来就需要平衡，不可能只有某一部分，只有法律没有办法完完全全让人类的文明变好，只有道德或只有文化，一样是不可行。

基本上，我们也没有办法将它们分开。没有文化的法律是粗糙的法律，是没有对人关怀的法律。法律是为了什么存在？是为了关心人，它的本质是“哀矜而勿喜”，也就是说，再怎么去制定法律，都要知道这是不得已。我们今天看到一个重刑犯伏法，很庆幸地说，这个人十恶不赦，被判死刑活该，也觉得制定这样的法律会对犯罪有抑制的作用，但实际上，法律没有办法制止任何东西，这种报复性的法律就是没有文化的法律。

当众人在指责一个人的“恶”的时候，我觉得最大的恶意是在众人之中，而且众人的恶意是杀人的动力，大家都急于要把一个人判死刑、要他死，这是很恐怖的。但我们的媒体不会去检讨这样的东西，甚至去“伪善”，我觉得那才是最可怕的事。

我想，真正好的、有文化的规范，是内省的，不是向外指责。一味地向外指责时，他就没有能力去解读更多的东西，他就很容易被有心人士或是媒体煽动。

话说回来，民众很容易被煽动，也是因为在他们的成长过程、受教育的过程中，或者打开电视广播媒体时，会发现大部分的声音都是在煽动。男孩子在青少年时期看了多少媒体播放的色情片，让他的情欲只剩下雄性动物的原始本能，而在他情欲过剩时，他想到的发泄方式就是去强暴。那么在大众指责他时，是不是也要连带一起检讨媒体的部分？又譬如孩子成天在电玩游戏中打打杀杀，让他把暴力视为理所当然，而在一气之下动手杀人时，那些真正杀人的、为了赚钱、为了商业利益所设计出来一套一套的电玩游戏的人，也应该被检查、被声讨。

内省能力需要教育

我觉得，很多新闻事件中，最大的受害者是大众，因为这些事件会层出不穷，在这个社会里一再发生，今天是在别人身上发生，谁知道下一次会不会在我的身上发生？它是一个随时会爆炸的东西，我们都是受害者。

这时候光靠法律也是没有意义，我的意思就是说，一个更大的果报在后面等着我们，当人们没有内省能力，忙着指责别人时，他迟早会用不同的方式杀人，甚至法律也是在杀人。

内省能力需要教育，并不是天生的，如果教育没有引带出个人的内省能力，最后却要求他自省，我们就是杀人凶手。就好像我们读到报纸所渲染的，杀人凶手看到对方死掉还会微笑，所有人都毛骨悚然，痛恨得要死；可是他在电玩游戏里，不就是如此，打到一个人死掉，他当然微笑，因为他可以得分、得到奖赏。

我们不可能不让孩子去接触这些东西，全世界都是如此，因为里面有商业利益，有利益就会有人做，包括色情影片，包括暴力游戏，就是因此而广为流传。

如果我们用“因果”的概念来看这些问题，要改变“果”就要改变“因”，如果我们对于“因”无能为力，这个“果”也是理所当然。

我们需要对于“因”的觉悟，当看到那么多那么可怕的灭门血案、强暴案、凶杀案时，不是事不关己看过就算，也不是捧着八卦杂志从中得到亢奋的快感；我常常觉得事件发生时，围观的群众本身都在帮助血案凶手，用残酷一点的话来说，好像要吸血才能活着的那种感觉——因为他的生活很单调很无聊，所以他把伤害事件当做一种刺激，没有任何反省与自觉。

我觉得那是整个社会共同的残酷。

而背后巨大的因果是，什么样的人选出了什么样的民意代表，什么样的民意代表在制定什么样的法律，什么样的法律推动什么样的社会；个人与这个巨大的因果链或许难以抗衡，或许会有很深的无力感，但我们仍然愿意用一点点的演讲，一点点的书写，一点点的影响力，去对抗电视一打开看到的肢体冲突、粗俗咒骂，因为这是我们自己造的因，我们自己也在这个果报当中。

台湾人因为多次面临政治的更替、社会的转型，基本上是被压迫的，所以在性格上有某些弱点，容易被煽动；因为容易被煽动，就会带来另外一个因果，并且造成文化层次的断裂，而不同层次的人也很难互相沟通。这是回到人民本身素质的问题，但这个部分不是今天靠着两句口号，要提高人民素质就提高，还是要用大量的媒体去发生影响力。我曾经有一个很奇怪的愿望，就是希望进入媒体，感化媒体，却发现进去的人全部阵亡。有一个学生打电话给我，说他要离开媒体，他说他爸爸很生气，因为儿子在那个媒体做事，让他觉得好骄傲。但他自己却痛苦不堪，因为他觉得每天要处理那些新闻，已经让他整个生命都扭曲了。

我从他的声音中感觉到，他已经虚脱了。他每天辛苦采访，可是新闻播出来时，他自己看了都吓一跳，他不知道自己到底在做什么，跟他在学校学的新闻规则完全不一样。这是一个还有感觉、有人性的学生，所以他在那样的地方会有冲突，但我想他如果不退下来，再做几年，他也就麻木了，甚至可能会开始认同。多少和我同年龄的朋友，在媒体工作，都已经是主管级了，他们就是视而不见，因为他们觉得每一个电视台都在争收视率，他们没有做错。

我想我们这一代的人会更清楚，因为我们童年没有电视、没有电话、没有计算机，可是我不觉得那个时候不快乐。很多人说那是经济贫穷的年代，我认为是绝大的误解。我不觉得那时候“穷”，那时候有一个这么富足的大自然，在山上、在河里可以看到那么多种的生物，那时候的人有丰富的生命，也有丰富的人性。

由大国操控的意识形态

我常常跟很多朋友说，我一直认为台湾基本上是第一世界、第二世界资本主义系统中的加工出口处，本身没有自主性的经济，而是由大国操控，早期是苏联或是欧洲，现在则是美国。这些强国把订单丢给台湾，台湾就以其廉价劳力来生产，赚取酬劳，因此变得富有，却也失去了自主性。近几年来，台湾的电子业比较兴盛了，却还是受制于国际市场，就是说美国一打喷嚏我们就感冒了。

一般而言，亚洲、非洲、拉丁美洲这几个地区都是典型的第三世界，以第一世界、第二世界马首是瞻。比如说电影《泰坦尼克号》关我们什么事？可是经由美国巨大的好莱坞经济体制，它可以营销全世界，成为一个梦想，一个伟大的、感人的东西，其实这是意识形态的倾销，最后我们就会接受，就像现在穿衣服的方式、吃东西的方式，甚至谈恋爱的方式，都已经跟第一世界一样，我们也用这个意识形态去面对很多生命现象。

事实上，第三世界是很不自主的，从物质的不自主到政治、经济的不自主，更重要的是意识形态的不自主。

相反的，伊朗也是第三世界，却在这几年用激烈的力量去对抗第一世界。我们在台湾报导伊斯兰教国家的信息，常常是翻译自美国新闻，对于伊斯兰教国家的印象，就是独裁、野蛮、恐怖分子很多，我们并不知道像伊朗这样的伊斯兰教国家有什么样的文化，在近百年来受到什么样的屈辱，只知道在伊斯兰教文化中，一个男人可以娶四个太太，我们透过美国人的转述，觉得这个文化很落后，就是屈辱了他们的文化、他们的族群生态。我们从来没有好好认真思考，伊朗之所以为伊朗的原因。

伊朗导演阿巴斯（Abbas Kiarostami，1940—2016）的电影，我一直非常非常喜欢。尤其在台湾这么快速、这么讲求物质的社会里，实在更应该安静地去看看阿巴斯的电影，像《樱桃的滋味》（*A Taste of Cherry*）。阿巴斯是留过学的，他也有受到第一世界资本主义意识形态的影响，所以他的电影里有一幕是导演要一个女孩说“我爱你”，这个女孩是临时演员，前面台词都没有问题，每到那一句“我爱你”时，她就讲不出来。导演说，你怎么搞的，你现在应该讲这句话。女孩说好，可是开麦拉后，镜头对着她，她还是讲不出来，就这样重复了二十几次。那部电影很奇怪，我想没有耐心的观众大概看不下去，我第一次看也觉得莫名其妙，这个导演怎么会一直重复，那个女孩也一直重复，为什么这么一句简单的台词，她都说不出来？让导演简直是气死了。

最后有人把导演叫到旁边说，这里的女孩子不可以跟男人讲这句话，因为她还没结婚。虽然导演认为他是在拍电影，它并不是现实人生，可是对一个伊斯兰教信仰的女孩来说，她就是说不出口。

阿巴斯要说的是一种信仰，不是因为拍电影，就什么都可以放弃，要脱衣服就脱衣服，要船沉之前拉美丽的小提琴曲就得拉，那是意识形态的包装。在泰坦尼克号沉船的惨剧发生时，有人拉着小提琴吗？会感伤、浪漫到这样的程度吗？

我们常常不知不觉受到意识形态影响，却以为这些都是理所当然的。当然，台湾也有一些自觉的人，在电影界里像是侯孝贤、蔡明亮，都是我很尊敬的，他们努力地让台湾有自己的身份，让全世界知道原来有一个叫做台湾的地方，有两千多万人是用这样子的方式活着，一点都不虚假。

生命中幸福的开始

我自己曾坐在佛罗伦萨的亚诺河畔，思考着一个文明，一个文化，写下了《叫做亚诺的河流》（收录于《写给 Ly's M 》），我思考着这座城市很多的前因后果，这里的人经过长达一千年的中世纪，承受宗教对于人的压力，一种禁欲、对欲望的不可讨论，才慢慢地、一点一点地从宗教的禁忌中挣脱，去确立人的意义，开始画人。在前一千年中是不可以画人的，因为人没有被描述的价值，但从那个时期开始，他们开始面对身边的人、开始去做描绘，所以今天我们能看到蒙娜丽莎坐在那边微笑，它不是一个简单的肖像画而已，它标志着一个人可以被当成人看待的意义与价值。

我坐在那条河边想，在我们的文化里，人一直是面目模糊的，也很少去思考人的意义与价值。我们似乎很少有一幅能让你记住的肖像。当然，我们会在某些地方看到少数几个肖像立在那里；或者打开报纸、打开电视，看到许许多多的肖像，一个凶杀案里就有两个肖像，一个杀人的、一个被杀的。肖像似乎无所不在，却好像没有一个可以被记忆、被欣赏，或者被仰望、被思念的，它能够稳定地存在着，而不被时代冲毁。我想这是为什么佛罗伦萨的文艺复兴时期会让人怀念，因为人的生存价值与意义，在那样的一个思索过程中，留下来的肖像是足以作为榜样，引领每一个人去努力的。我们的社会好像少了这一个部分，是消失了或者是被冲乱了？

我并不是说，要恢复过去的英雄崇拜，或者是对于伟人的仰望，我不觉得应该要退回到那个时代。可是我会感觉到，崇拜本身是一种高贵的情操，我不希望针对某一个个人，但我希望心里能保有崇拜之感或者仰望之感。我自己一直在寻找一个使我可以仰望的生命的意义跟价值，我会跑到佛罗伦萨坐在河边，是因为我觉得有些生命是让我崇拜的，他们让我觉得他们是崇高的生命。可是对新世代的年轻人而言，他们在商业文化里成长，不知道什么叫做崇高，甚至他们所崇拜的偶像，也可以是不崇高的，可以拿出来调侃、开玩笑或者污辱的，这时候我会觉得有一点混乱，就是人内在有没有一种情操叫做崇高，或者叫做洁净，或者叫做高贵？如果没有的话，是不是人性就走到不高贵、不崇高，比较低俗的或者粗糙的状态中了？

我常在旅游中，到了某些文化气息浓厚的市镇，就会拿来跟自己的故乡做对比，心里有很多很多的反省与感触，当然一下子不可能有答案，只是心里面会怀着一个很大的盼望，应该不至于完全落空吧，总觉得会有一些踏实的东西，在这个社会里面慢慢被找到。

今天我们说，这是一个富裕的时代，商业的富裕提供了物质上的满足，我们很容易得到想要的东西，一双鞋子、一件衣服，甚至一个人，拿钱就可以买到了。可是中间有一个东西，在容易购买、容易贩卖的过程中，遗失掉了，这个遗失的部分恐怕就是台湾目前最大的难题。

小时候，我们会为了一本同班同学忘掉的笔记本，翻山越岭渡过淡水河送去他家，那时候淡水河桥很少，我要绕很远的路，从延平北路、迪化街，一直走到今天的大桥那一带，然后走过大桥到三重，到同学家，现在那个记忆很深……

我的意思是说，“难”绝对是生命中幸福的开始，“容易”绝不是该庆幸的事。

我的学生说他们要找人上床真的好容易，可是我觉得他们的爱好短浅，我好高兴我那个年代这件事是难的，所以会有渴望、有盼望、有期待，所以到最后有珍惜。

我家里有很多破鞋子，朋友来看说，这个起码已经十年没有穿了吧，我说对，他说那还不丢掉。我不知道为什么我丢不掉，我觉得真的是很难解释，因为它里面有记忆，它不只是一个物件。这些鞋跟我的脚已经发生了一种每天一起走路，走过长长一段过去的关系；同样的，跟你生活在一起的人，虽然他的身体在衰老，可是你会知道他衰老的每一个细节，所以你不会轻易离开。我常常听到学生跟我讲他们的苦闷之后，我一方面悲悯，另外一方面对自己有好大的庆幸，庆幸我没有活在他们的时代里。我知道他们的苦恼在哪里，可是我真的也无法为他们解答，我只能告诉他们，可不可能多一点盼望、多一点期待、多一点珍惜？

可是所有的物件、关系都真的太容易获取了，教他怎么珍惜？他知道永远还有机会要很多其他的东西。

我常常跟人家讲，从来没有想过要去伊朗，但因为阿巴斯，我想去看看这个国家，我尊敬那个民族，因为那里有一个这么好的导演，让我看到生命有信仰，有一个他非常相信的东西，尤其是他有几部电影是在伊朗大地震之后拍的，路也断了，物资都没有了，在那个状况下伊朗的人还是活下来了，我真是佩服这个导演，他把人的信仰忠实呈现出来了。

信仰本身是一个过程，它并不在于终结点，也就是说，你不是真的要崇拜一个人或盼望一样东西，而是保持心里面的崇拜感；这个崇拜感的对象可以是宇宙、可以是不可解的海洋潮汐、可以是人世间复杂的因果。这种信仰、崇拜感是经过思考的，不是像过去有一段时间被强迫要崇拜英雄伟人，这种强加的崇拜，是权力者的愚弄，所以我们会觉得很痛苦。

另一方面，商业用金钱堆砌的偶像，也会让人没有办法思考。你去买他的照片，买他的商品，看到他就兴奋得又哭又叫……我想，那是另一种形态的愚弄。在我们摆脱政治上的愚弄后，商业上的愚弄却是变本加厉地在发展，这也是我们要做的反省。

社会需要多一点思考

其实我对《古兰经》不了解，对伊斯兰教也不了解，可是我看到阿巴斯的电影之后，我觉得我不应该在不了解的状况下随便批判。那里面有一种我不了解的力量，在地球上有这么多的人信仰这个力量，它不应该是随便被批判的，一定有它的道理。就像在阿巴斯的电影中，有一些蹲在清真寺门口的老人，对他们的孙子说："你过来。"孙子就跑过去，然后爷爷就骂他两句，孙子就走了。然后老人就跟旁边的人说："小孩子没事要骂他两句，他才知道敬畏。"

在台湾，若是提出这样子的教育观念，不被骂死才怪吧。

但这就是这个导演让我佩服的地方，他不作假，他让你看到：就是这样子，我们的文化就是这样。我记得小时候在庙口也是这样，常常无缘无故被一个不认识的老人叫过去，骂我一顿说："你现在不是应该在学校上课吗？怎么会在这边逛？"

我想，那是一个倚赖在土地里的人才会有的信仰，现在绝对没有人会如此吧。我有一个学生说他晚上八点钟在SOGO百货前被不认识的人打，没有一个人伸出援手，最后他是自己跑到医院去包扎。如果我们觉得老人随便叫小孩子来骂两句，是很坏的教育，于是宣扬另外一种自由的教育，就有可能变成走在街上被杀了也没有人管。这两件事可能是一体两面的。

很多朋友对我说，好羡慕你演讲的时候可以轻轻松松就把唐诗宋词背出来，我说你不要羡慕我，那是小时候被爸爸惩罚，做错一件事，就罚背一首诗，是这样背出来的。可是，我当时所受的管教，对现在的人来说是不好的教育，现在的孩子一不能体罚，二不能强迫背诵，要用理解的方式。所以可能在他记忆力最好的年龄，没有去记一些东西，长大之后，就没有文学的库存。我的意思是说，所有的东西都是一体两面，有正面有负面，有优点有缺点，我们常在改革的过程中，把过去所依循的负面缺点放大，不思考正面优点，等改革过来以后，又只看到新制度的正面，没有看到负面，因而变成另一个更大的问题，直到下一次的改革。

我们实在需要更多的思考。

像伊朗这么一个伊斯兰教国家，在世界上也不占什么分量，或者说微不足道的，可能过去看到的消息都是负面的，可是从阿巴斯的电影，我们可以看到伊朗文化上深厚的东西，我想，这是第三世界应该要有的觉醒，不是在第一世界、第二世界的物化过程中随波逐流，一旦我们把这些重要的文化丢了，有一天要回头找也找不到了。台湾是最明显的，在短时间致富后，就被冲昏头；可是实际上，一点点政治上的风吹草动，一点点国际局势的风吹草动，台湾都会被吹得东倒西歪。我们在财富上很嚣张，但这是假象，也很危险，我甚至觉得，很多人看了电影《小鞋子》里小男孩为了一双鞋那么拼命时，会说："这还不简单，我们就送三亿双鞋子去嘛。"

我非常害怕这样的事。

我中学时代，菲律宾是我非常仰望的国家，那时候我们有菲律宾的侨生，觉得他好棒喔，因为他穿的鞋子是我们没有的，好时髦。后来菲律宾因为政治的黑道、黑金的问题不能解决，很多菲律宾人要离乡背井去赚钱，沦为亚洲的菲佣。

我其实很害怕，因为我觉得我们并没有那么厚实的基础，而我们的自大，将使我们落入不能顺利发展的状态。

人际关系的变幻

当我们从“要花很长的时间期待，很困难地得到一样东西”变成很快速、很容易就能取得，而且选择更多，于是有后来的不珍惜。当这个现象转换到伦理跟人际关系上，就会变成一种新的问题。

譬如现在的网络恋情、一夜情，那种情爱关系的混乱。当然，我说“混乱”是用过去的伦理来看，可是我们都知道，伦理、爱是跟着环境在变，并不是绝对的，它其实也跟很多东西错杂在一起。

我住在巴黎的时候，我觉得法国整个社会的节奏与速度没有像我们那么躁动，因为它本身的旧传统和新科技没有完全的对立。法国的科技当然比我们进步，可是相对的，他们的文化也深厚，而我们经常在炫耀高科技，社会文化却是短浅的，缺乏一种厚实的渊源让我们稳定下来。尤其我们还有一个很深的矛盾，就是试图要与文化母体切割，可是当我们为了不受母体限制，而把母体深厚的文化渊源也切断时，自己就会变得很短浅。

台湾真的有重重的矛盾，我们希望自己不受母体干扰，不会被飞弹威胁，所以把自己一步一步孤立出来，最后母体的大文化、大传统，以及很深厚的伦理，也被切断了。今日社会上很多关系的混乱，都跟母体文化切断有关。过去我会觉得，没关系，切断就切断，管他的。可是当问题一个一个浮出来时，我开始觉得那种矛盾是一个很大的问题。不要忘记《论语》曾经在这个岛屿上发生了很大的作用，如今它变成一个腐朽的符号，慢慢消失；还有那些戏曲、那些传统的诗词，在泛政治的思考之下，都变成不合时宜，也慢慢被淘汰。这种矛盾恐怕不是一下子可以解答的，台湾大概特别需要有更周到、更周密的心思，才能够在转型过程里不会掉入进退失据的困境。

我想，一个社会的变跟不变，只是一个互动的关系。在快速的变动当中，我们完全遗忘了不变性的稳定力量，就好像我们切掉了《论语》、唐诗、宋词里面基本的精神，接下来，什么东西可以替代它？

台湾的富有并不是因袭而且长久的，外在的变量还是很大，所以我们对于财富其实是有焦虑感、不安定感的，在这样子的状况下，我观察到台湾的一些企业或者家族，流动性很大，好像随时准备着要走，或者是要结束，或者要变坏，与欧洲资本主义那种一代一代传承的企业，绝对不一样。我想这个是台湾目前一个巨大的悲剧，也使下一代处于一个慌乱的状况，这里面最有趣的是，我们切断了文化，却保留了过去中国家庭里面对孩子的保护和供应，所有东西都给孩子，所以今天的孩子，他们为所欲为，予取予求，因为传统的父母对子女的爱已经变质成一种堕落的引导，就是让他们取得物质变得非常容易，要什么就给什么，他们从小就没有艰难取得东西的经验，艰难是一种教育，没有艰难感就没有珍惜。

老画家刘其伟说过，他因为受日本教育，到九十岁高龄时还会想去非洲、去婆罗洲冒险，他就觉得中国人的教育根本是一种安逸的教育，在孩子的成长过程中，对于冒险犯难的鼓励非常非常少，因为中国是农业保守的社会，离家就代表悲剧。如果我们真的要接受西方的资本主义，不要传统伦理，那么是不是父母也应该学西方伦理，让孩子十三四岁就独立，要读大学就想办法筹学费？而不是把两种伦理负面的东西合在一起，教出一个被宠坏的小孩。

我们知道农业社会需要人力，所以发展出“父母在不远游”的伦理，把家族人力集中，而不同家族就组织成社区的关系，互相帮助，互相依存。农忙的时候就是这样，稻谷成熟不收割就会腐烂，春雨过后一定要插秧，是有时间性的。所以农业社会发展出来的伦理需要一个人的内在的群体性很高，个人的独立性就不需要。而西方发展商业、牧业，都是个人的，所以他们的文化标榜 individual。在社会从农业转换到商业以后，群体性的家族、社区伦理，受到西方个人主义的冲击，变得扭曲了，比如那种互相依存的关系，转化成前面提到的八卦性，因为农业社会里个人的所有行为就是会受到社区的监督；比如父传子的观念，以至于很多的企业家第一代把公司交给孩子，但孩子不一定能够承担这个任务，最后就富不过三代。

如何界分权利与义务

一个现代的民主社会，是由公民（citizen）的观念建立起来的。公民就是说你入了国籍，信仰该国的宪法，比如台湾人到美国，入美国籍并宣示效忠美国，他就是美国的公民。可是我们很多移民宣示的时候，自己也糊里糊涂，不知道怎么回事，人家说他是美国人时，他还很生气。因为他没有公民的观念，西方的公民观念是说，你在成年有独立意志之后，就有高度的选择权，你可以决定居住在这里，决定接受这里的宪法，接受宪法赋予你的权利与义务。

可是在台湾我们口口声声说自己民主，对于公民概念却不清楚。我记得以前到选举的时候，我父亲就会要我投票给某一个政党，他说你一定要投这个人，不然就是不孝。我那个时候就好冲突，我行使投票权，表示我是一个公民，应该有独立自主的意志，为什么要背负不孝的罪名？如果我父亲知道什么叫做公民的意义，他不会跟我讲这句话。这就是我要说的，我们接受一个新的制度，却还是没有办法跳脱传统的回旋，就是纠缠着很多的这种不旧不新的问题，而且常常立场是摇摆不定。

台湾需要把这些问题厘清，到底要的是一个什么样的社会？什么样的伦理？

这个问题在政治界也有，例如说某一个领导人与某一个职务的人“情同父子”，这根本就不是一个现代政治应该有的比喻，他们只有职务上的关系，但我们却一直在混淆一些家族、社区伦理的观念，模糊了问题。

在中国旧有的社会，道德是一种约束的力量，同时对家族也有一个相依赖的关系，如果我们是要鼓励西方的伦理，把个人独立出来，不要对家族负责，就需要社会的法律、公民的道德、公民的意识来做约束,这个部分是我们没有建立起来的,所以没有办法替代原有的东西，只好又沿用旧有的，就变成不新不旧。

譬如很多人会说西方的个人主义会让人变得自私，这就是错误的，他是自信跟自立，不是自私。自私是相对于中国旧的家庭伦理。小时候我们家八个人吃饭，那端出来的一盘菜，没有人规定一个人吃多少，可是每个人都会知道，我稍微多吃一点，妈妈眼睛就会看我，如果我还没有分寸，妈妈就会讲：爸爸还没有回来喔。就是吃菜的动作也要意识到群体，多吃了就叫做自私。可是今天，如果是另外一种社会，这个社会里面对于每一个人的界分已经是做好的，就像吃自助餐，你的食物就在你的盘子里，就没有自私的问题了。

我在法国读书的时候，女作家克里斯蒂娃（Julia Kristeva）在研究人类的行为学，她对我说，你知道我为什么要学中文吗？因为我不能够了解你们为什么坐在一张圆桌上，没有人规定说吃多少菜，而大家都知道吃多少菜。我当时觉得这个问题好荒谬，这不是很简单吗？她说，对她而言很难，因为在西方社会里，如果不把食物分好，就不知道应该要吃多少。这个时候我就知道，我们原有的东西是有一个道德公式，逾越了公式就叫做自私，可是今天转换成现代公民的时候，不应该存在自私的问题，因为法律跟道德原来就把每个人的权利、义务都界分好了。

如果法律跟道德没有界分，又没有旧社会的群体制衡，就会像动物一样，大家一起抢，抢赢的就是最强的人、最霸道的人，再由他来分配。

我想，台湾会慢慢建立出一种新的结构，不会完全是传统的，也不会完全是西方的，我们会有正直的法律，会有合理的公民道德，可是什么时候能建立？我不晓得。

但我知道，法的公正性是一定要先建立起来，而我们的“立法”跟“司法”这两部分，目前都是被污染的，沾带了太多原有的家族的堕落性，是让人非常忧心的问题。

当然光靠法是不够的，还是需要有文化、道德、宗教等其他东西来辅助。我说法是当务之急，是因为法若不公正，其他辅助力量就会变成浑水摸鱼，甚至可能会反过来伤害法。

时代快速地进步，伦理不断改变，人要在这么不稳定的状况下自处，应该是要找回自己的信仰，在对人、对事的期待与渴望中，重新去体验追求本身代表的那种高贵性，才是永恒不变的。

知识并不能等同于智慧，
知识没有办法解决信仰的问题。

第Ⅳ讲

新信仰

生命在成长的过程中，有其自然的发展现象，人类有很多智慧就是从自然现象中学习到的，假设一百万年前、几十万年前的人类，蹲在地上观看一颗种子的发芽、开花到结果，或是发现季节的转移、仰观天上星辰，看到几点钟时星座会在哪一个方位，其实都是在学习大自然中的秩序，这种秩序的学习在人类文明历史中，非常漫长，也非常珍贵。比如我们走到台北近郊汐止，就会发现当初的人如何去发现基隆河的潮汐到这里是停止的，很多地名和观念都是从大自然的观察中建立起来的“信仰”。当他有这种信仰时，他就是生活在秩序中，会有一种安定感，他知道这棵植物枯萎了，但在下一个季节会再发芽，他发现了秩序，在植物枯萎时他就不会绝望、不会幻灭，他知道来年春天植物会再发芽。知道这个秩序、智慧的人，和不知道的人，他们的生命态度是不一样的。

我们常常说，冬天已经来了，春天还会远吗？这也是从大自然中学习到的智慧，这种智慧也会变成我们的信仰。

信仰最有价值的力量就是实践，在佛教经典中说“行深般若波罗蜜多”，“行深”这两个字就是强调实践。单单成为一种知识没有意义，反而会成为沉重的包袱，甚至是一种“知障”，因为有知识就会卖弄，会被知识牵绊，反而一个教育程度不高的人，生活在土地当中，很自然地就会有信仰，会认为“我知道的，我就要去做”。

我一直很喜欢“行深”这两个字，尤其是把“深”字加进去，就是在实践过程中，不断地、不断地检讨自己是不是做到了。有时候做了，但可能做不够，就是行不深。信仰本身具有非常强的实践力量，哪怕是一种非常简单的信仰。譬如说我观察父亲，在他青少年时期就培养九点钟上床、五点钟起来的规律，这看起来好像是很简单的知识，可是当他到八十几岁还这么做时，就是一种信仰。不管在什么样的状况下，他都觉得这是他必须遵守的信仰，让我很佩服，这就是“行深”。

这里面没有知识上的大道理，难就难在实践，但对父亲而言，他觉得不难了，因为从根本上已经变成一种信仰，如果说他每天还要“努力”去做到这件事，就表示尚有一些勉强，可是他是很自然地做到了；时间到了，他就觉得应该去睡觉，早上天一亮，鸟一叫，他就觉得该起床。他的生活好像跟自然的季节、日出日落之间，有了一个对话的关系。这种信仰是令现在的我很着迷的，它是完全顺应自然的，健康的，不难做到，也不会走向歧途的。

把信仰导回心灵的本质

在一个“不对”的生活里，信仰很容易走向歧途。不对，可能是指违反自然法则，譬如太急着吃这只鸡，太急着要吃到某种蔬果。

如何在生活中找回信仰，并把信仰导回心灵的本质，是现代社会当务之急。

我们会发现，这个社会有许多人渴望信仰，说明了这个社会上有很多人想要对生命状态中的无助、脆弱有更多的认识，这部分是我们绝对要尊重的。如果不能尊重这个部分，我会有一种心痛的感觉。

其实，我们每一个人都会处于这种脆弱的状态中；试想在一个暴风雨的夜晚，你浮沉于无边际的海洋中，从你眼前漂过的任何一根小草，你都会想去抓它的——那么当我们打开报纸，看到那么多人无助地寻找着信仰时，我不太能理解，为什么我们的媒体要去嘲笑这些人，或是批判这些人？

当然，我们希望这些无助的人，能真正找到让自己生长出力量的信仰。但是，因为他无助，所以急切，因为急切，所以乱抓，而使得原本他拥有的某些健康的信仰，扭曲到另一个方向去。

这件事是两面的。我们不该嘲笑那些无助的、渴望信仰的人，我觉得，没有信仰的人是全世界最痛苦的人。即使是再威权的帝王、再跋扈的将军、再富有的商人，他们都有最无助的时刻，只是还没有到那个关头而已，到那个关头的时候，他们不见得会比今天我们嘲笑的这些人好到哪里去。在现实社会里，那些咄咄逼人的人，在信仰面前都会下跪的。其实刚好说明，信仰本身绝对是人类最伟大的一个动机。

台面上愈是强横的人，愈不容易让人看见他的脆弱之处，但是脆弱一定存在。年轻时我读过一本书，作者说，在神的面前，我们每一个人都是乞丐。也就是说，我们每一个人都是平等的，不管是帝王或是平民，是知识分子或非知识分子，我们面临的死亡是一样的，我们也都无法解答生死的问题，所以我们需要信仰。因为我们是在同一种处境中，所以对于拥有不同信仰的人，应该要有很大的宽容和悲悯。

我还是要提醒这一句，我们每一个人都可能遭遇灾难，所以要留很大的余地，在现实生活中越不留余地的人，在脆弱时越可能乱抓。我不赞成当社会发生信仰的误导现象时，就加以嘲笑、打击，难道我们的社会不需要信仰吗？这些事实只是说明了我们的社会欠缺信仰，我们的教育系统里缺乏了极大的信仰教育。

我常看到一些在学校里被视为问题学生的孩子，他们可能会去飙车、会去打电动玩具、会吸安非他命，可是当我跟着他们去旅行，经过树林里的一间小小的土地庙，他突然双手合十，弯腰一拜，在那一刹那我非常震撼。那个行动本身就是信仰，让我知道他还是信服什么事的，这个信服的种子，总有一天会萌芽，让他在为非作歹的时刻找回自我，这点我觉得非常非常重要。

如果能让孩子从小开始就有信仰，让他信服，让他知道头顶之上有一股不可思议的力量在做引导，会让他学会谦卑，对于他日后的成长，会有正面的影响。

我年轻时曾经加入天主教，因为那时候我很迷惑，想借由宗教来寻找答案。我花了一整年的时间和神父一起研读《圣经》，也接受洗礼，成为正式的天主教徒。那时候，我每个星期日都会去参加弥撒的仪式，仪式进行前要做告解，在一个小房间里，隔着网格、黑色帘幕，对着神父——这时候他代表的是神，不是神父，告诉他这一个星期来你所犯过的错，你的欲望、你的贪婪、你的自私……这是我到目前为止都还很感谢的时刻，因为你知道有个说话的“对象”，而且他在听。

通常神父不会告诉你这些行为是对是错，只会告诉你去念几遍天主经，然后领圣体。对我而言，念经是惩罚，也是一种解脱。而“告解”其实不只是宗教仪式，有时候我写日记、写小说，有时候我跟朋友倾吐心事，都是一种告解的形式，就是在自我反省。

信仰里面最可贵的就是一个自我反省的过程，也就是认识自己有多贪心、有多赖皮、有多恐惧。你知道了以后，再回到现世里，在做人处事上都会有一些不同，平常的咄咄逼人可能会收敛一点点，平常的予取予求可能会稍微少一点点，其实只是平衡而已。

换一个角度来讲，信仰不完全是因为脆弱。譬如二十世纪最伟大的科学家爱因斯坦，他在物理学上的知识是人类世界顶尖的，对于宇宙的了解，没有人比得上，但他也是一个虔诚的教徒。很多人在检讨爱因斯坦在科学知识和宗教信仰上的矛盾，我们总觉得他应该用科学知识来理解整个世界。事实上，爱因斯坦的信仰不是出自脆弱，而是谦卑，因为他知道自己还有不足，而知道自己的不足是一种坚强。

当一个人知道自己的不足之处时，反而会让我尊重他。一个商人应该知道斤斤计较累积财富之后的不足，一个政治家应该知道权力之后的不足，因为这个不足，所以有信仰，并让信仰往健康有机的方向发展。

最高信仰就是自然

我说的健康、有机的信仰，是指非单一性的。信仰可以是哲学，可以是道德的实践力量，也可以是美的完成，它跟很多东西有关，如果把信仰孤立出来，它就很危险。

只有一种信仰很可怕，譬如只有政治信仰，只有财富信仰，只有权力信仰，甚至只有单一的美的信仰，都是不健康的，它应该要平衡的，我不知道能不能说是一种“自然信仰”，就是对于各种现象都能有比较平衡的思维。如果有自然农耕法，我想也应该要有自然信仰法，把自然作为一种最高准则，就像老子说的：“人法地，地法天，天法道，道法自然”，最高信仰就是自然。

信仰没有速成之道，我觉得它应该是一种长时间与困惑的对话关系，好像是在一种螺旋形的山路上盘旋，每次盘旋的过程中好像升高了一点点，又好像在原地绕圈圈，我的信仰追寻旅程到现在还没有停止。从小时候到天主教堂拿卡片、背《圣经》，只是因为进口的卡片很漂亮，因为教堂的彩色玻璃很美，是不是真的信仰我不知道，那段时间的信仰其实是和美的感受结合在一起的，我会背《圣经》是为了得到卡片，但是那些句子还是让我开始变化了。

老子最崇拜的信仰是婴孩，他觉得婴孩是最圆满的状态，因为无所求，无所缺，一旦开始有困惑、有不足时，就会追求，就会要“返璞归真”，表示你开始作假了，你开始有很多尴尬、不舒服的情结，所以要努力回到璞跟真。这个过程，我称它为信仰的过程，是很漫长的探索，而当你又回到璞跟真时，就不需要信仰了。

在青少年时期，因为身体、心理的变化，有更多的困惑，我需要更明显的信仰，所以我进到天主教。到了高中、大学，我会希望信仰能够和思维、哲学结合，这时候佛经更能满足我，所以我长年住在庙里读佛经。这样的信仰旅途，让我在听到别人问我：“你信什么教？”时，会愣在那边不知道怎么回答。因为陪伴我的不是单一的宗教，而是所有的宗教陪伴我度过一个困惑、自我觉悟的过程，我到现在还是在一个巨大的困惑当中，所以我会说对于困惑的信仰不应该有嘲讽，而应该要悲悯，因为我们都在困惑当中，只是知道或不知道。

以我自己而言，我仍然在困惑中，但比较不急了，不会今天走进教堂、庙宇，就要立刻得到解答，或是今天买了什么东西，做了多少捐献，明天就要马上解脱，我开始觉得信仰不需要这些形式，而是像一个好朋友，永远陪伴在旁边，和你做更多的对话，甚至勇于去自然地呈现自己脆弱的情感，因为已经够坚强了。

信仰是帮助人解惑的，如果无惑可解，信仰就消失了。《金刚经》说法、非法，一切法皆非法，这样的说法让我领悟很多，当法是虚妄的，那么信仰本身有一天也可以是不存在的。因为它变成实践的力量后，就不需要再拘束于语言、仪式了，这是一种阶段性的，我们不需要去批判不同阶段的人，去说：“你怎么还在那个阶段？”因为我们也曾在那个阶段过，当你走过来以后，应该要知道每一步踏过来是多么艰难，你不会去嘲笑，反而会尊敬。如果你会嘲笑某一个阶段的信仰，就表示你连那个阶段都还没有到。

对于文化，我一直秉持一个原则，就是文化要与现实生活结合在一起，落实在生活当中，文化如果从生活里隔离出去，这个文化本身就只是一种假象，甚至它只是过去的遗产，不是一个活生生的文化。

所以我不太能够理解，一个国家的美术馆很好，表演艺术很发达，但国民的生活非常粗糙跟野蛮，我想这是不太可能的，两者应该是一致的。所有在博物馆里面所得到的美的训练，在音乐会、戏剧当中得到对生命的反省跟提炼，都应该在生活里落实成为一种国民的品质。

当然，艺术的发展是一个上层结构，或者文化的表征，可是更重要的是，必须回到国民的生活中，在食衣住行里再现，如果中间出现很大的落差，那就是有问题了。

以人情作为最高指向

纽约在二十世纪七〇年代曾经有过很大的落差，可是他们经过长期的努力，如今已经变成世界表演艺术、美术收藏品都是数一数二的城市，而国民的素质也慢慢培养起来了。

纽约的改变与立法有关，基本上在现代社会里，一切东西都跟法规有关。而在台湾，法规不能说不严，我们有都市计划的法规，有交通法规……甚至比世界很多地方都要严格。可是我们在执法上却很难严格，因为我们有传统儒家伦理中所谓的人情包袱，还有伦理中的一种“弹性太大”，可以这样解释，也可以那样解释，这就会让执法者很为难。

从我的角度来看，我会希望伦理能够传承，人情也是我们足以自豪的文化的一部分，但同时也很担心它们会干扰法的严格性。常常一个法律事件都不是一个单纯的法律事件。譬如我会听到朋友说，今天碰到一个警察好好喔，跟他讲因为家里发生什么样的事情所以超速，他就没有开我的罚单。这样的事情其实是会让人啼笑皆非，从人情来讲他是个好警察，可是从法律来讲，他是失职的警察，这里面其实是多重矛盾。

我想每一个人，包括我自己在内，都要反省在我们身上，旧有传统伦理跟现代新公民的法律观，抵触到什么程度？不是在指责别人，而是自己做反省跟检讨，如果换作我碰到这个事情的时候，怎么办？

在西方社会里面，你提出家里发生什么事情为理由，是很荒谬的，可是在台湾，你会觉得非常合理，甚至还会觉得你怎么可能不体谅？可是，当执法者老是在体谅时，所有的法都没有办法继续谈下去了。

我倒不是要指责执法的人，我想讨论的是一个民族性的问题。这个民族性本身是以道德、伦理作为最高指向，以人情作为最高指向时，势必会干扰法律，当然也会干扰到政治经济的形态。试想一个都市中，所有的东西都可以被人情修正，人情最后就有可能会被利用，变成某一种垄断，于是就有黑道绑标、围标这种公共弊案，以及各种家族关系、人情的介入，使我们的都市计划一直被修改，每一个环节都有各种的人情，原本一个很好的计划就改坏掉了。

客观上讲只要执法比较严，就不会有这些问题，可是我们在对抗的是一个非常古老、非常巨大的包袱，这不是那么容易的。

也许我们的社会需要非常出类拔萃的哲学家，他的思想冷静、透彻、清晰到能够呼吁出一种新的公民哲学。我说的公民哲学就是一个国家、一座城市里的公民，要遵守的一个思想体系。目前我们没有这样的东西，所以很多时候是在模棱两可的旧道德中，刚好是伤害了新公民哲学的可能性。

有时候我都觉得好像自己也在扮演这样的角色，因为我在讲的是人道主义、一种家族亲情、一种人对人的互爱……可是到最后会发现，如果一个孩子在一个对的社会，在一个新的城市道德跟一个新的公民道德里面，即使没有家族、没有父母，他都应该能够被国家养大，这才是新道德。

一个弃婴可以被国家的社会局养大，一个孤独的老人也可以被赡养到善终。他不是依靠家族，也不是依靠人情，更不是依靠我们讲的一种所谓爱或者道德，不是那么空泛的东西，而是依靠一个很具体的社会福利政策。

反过来想，为什么我们要丢掉旧传统的包袱会这么难？也许就是社会福利政策不够完善。当你不照顾你的孩子时，会有人照顾吗？你能够放心吗？如果不能，那么家族、伦理、道德就有其存在的必要了。

如果你想到老了没有儿女养你，就没有任何人能照顾你，当你有这种恐慌的时候，你当然就只好讲孝道。

我想新道德跟旧道德，其实是在一个西化的公民道德跟旧式的中国伦理的家族道德之间的冲突。而旧道德很多人在阐述，从一个完善的福利制度里面建立起来的新道德却很少人说。

思辨能力的培养

道德也可以是一种信仰。

信仰本身是一个比较宽泛的名称，严格来说，与宗教是两种不同的体系。宗教在定义上比较严格，有一套完整的系统，从创世记开始，宇宙怎么创造，生命从哪里来、到哪里去……修行的过程及戒律也都非常完善。世界上能够被称为宗教的其实不多，如佛教、基督教、伊斯兰教等。信仰就很多了，比如说妈祖、关公，它不是一个严格的宗教，却是信仰。

所以，美学可以是一种信仰，政治可以是一种信仰，道德也可以是一种信仰。任何你在生命里的某一个阶段，所相信的事物都可以是信仰。信仰的对象可以改换，没有那么绝对。

中国对于宗教跟信仰两个概念是比较含混的，不太会把它分清楚，比如说我们今天到台湾的一个庙宇，很多人就会笼统地说这是佛教的庙宇，其实它并不是。基本上，我们的民间信仰与佛教已经高度混杂，大家常常分不出来什么叫做纯粹的宗教，什么叫做信仰。我想，这也是中国人比较固有的一种思想形态，就是不太会把一件事情弄得很清楚。很多人自豪地说，中国没有宗教战争，其实中国根本没有宗教，没有本土的宗教，宗教都是外来的。道教本身不是西方严格的宗教学里的宗教，因为它没有一整套的完整的体系来规范。

从宗教学的角度来看，神跟人之间会有界线，有一个绝对的关系、绝对的位置，但在道教中，人可以变神，神可以变人，像八仙过海的八仙，其实不清楚到底是人还是神。这就比较偏向民间信仰，比较笼统，比较不那么绝对，戒律也可有可无，调节性很大。

还有一点区别就是，凡是去祈求保佑，有一种功利性的交换，大概都是信仰，不是宗教。宗教不能如此，宗教是绝对的。所以在基督教《旧约圣经》里，上帝要试验亚伯拉罕，要他献祭独生子，我们看了可能会觉得很残酷，可是在宗教的理论中是讲得通的，因为上帝代表的是绝对的真理，人要信靠并乐意顺服。

但信仰就不一定了。我们看到有人到庙宇里求明牌，如果神明没有猜对，甚至把佛像的头砍掉。这是一个相对的功利信仰，不是绝对单一，有很多个人利益的成分掺杂在内。

我们社会曾经发生过很多次因为信仰而产生的问题，比如说多年前发生的年轻学子集体出家，这件事我自己其实有蛮深的感触。

不管是年轻人出家，或者是成熟的中年人，功成名就的人，甚至社会名流出家，都是牵涉到某一种信仰而发生很多流弊。我不太想讨论事件本身，反而觉得那些事件让我感觉到社会里缺乏一种信仰教育。

信仰教育是不是应该从儿童时期就开始，可能是幼儿园或者是小学，这是第一个可以思考的。而信仰就是你相信什么，这个相信当然跟辩证有关。因为相信，所以会思考，会反省。可是信仰跟怀疑也有一个互动的关系，信仰教育简单说就是思辨能力的培养。

思辨能力不是大学毕业、研究所毕业，或者功成名就的人就具备，事实上很多社经背景很好、高学历的人，都因为信仰迷思而成为受害者，我觉得，知识并不能等同于智慧，知识没有办法解答信仰的问题。

刚提到说，信仰跟怀疑有关，一个真正的信仰不会因为被怀疑、质问，就会瓦解；相反的，因为被怀疑跟质问，信仰会更牢固。最好的信仰，一定是经得起所有人的怀疑。

台湾过去的威权信仰是不能够被挑战的，而这个遗毒到解严后的今天还没有消失，因为这个信仰本身就是被保护，没有机会去展现真正内涵上的深度及稳定力量。

世界上重要的宗教都是经过几千年来千锤百炼的挑战，这些宗教信仰的建立，都是有过受难的过程，有降魔的过程。释迦牟尼佛在菩提树下静坐，很重要的一部分是降魔。降魔不一定是对外，还有是对内在，挑战内在的所有思想，当然悟道的过程会有很多坎坷、挫折的，甚至也可能走错路，也因此能凸显最后所谓“正果”的精神。

基督教也是，耶稣在成道的过程中，有四十天在荒野受魔鬼的试探，这个试探其实也是他内心的东西。

我觉得一直很缺乏思想的课程，过去会上三民主义，那是思想，但是讨论的很多东西是政治。人的思想绝对不只有政治，人的思想是很复杂的。为什么在中学不可以有一门课是关于哲学或者是对世界宗教的阐述？这里面就会触碰到思想与信仰。

或者我们可以读中国的诸子百家，不是只局限于中国文化基本教材里的四书，还有庄子、墨子、韩非、商鞅等等，这些人都提供了各种思想的方法。

而最重要的是，思想课程不能落入考试的陷阱，如果学生只是急切地要把答案背好，通过考试，他根本就没有思考的过程。

肉必自腐而后虫生

除了学校教育，我们整个社会教育也缺乏了思想性。

你很少在一个社会里看到知识分子这么没有思想，一谈话就会发现，他整个逻辑的训练跟思维的缜密性都不够。如果我们的年轻人跟另一个社会的年轻人办一场辩论比赛的话，恐怕一碰头就垮掉了，因为他没有思辨能力。这个垮掉很危险，因为垮掉也意味着，有一天他很容易相信什么、不相信什么……

不知道大家有没有发现，台湾社会在解严之后走向多元化，而人也变得很善变，一个人的思想可以一直在跳跃，从这个主义一下跳到另一个主义，从这个党一下跳到那个党。有时候我都会吓一跳，他们到底在想些什么？这其实是很危险的事情，尤其在一个已经成熟，比如说已经四十岁的人了，还一直替换信仰跟思想的时候，这个人本身需要被质问，你到底在想些什么？

我很期待教育能培养出一位思想家，能主导一个长久的、永恒性的信仰，他可能是一位政治人物，可能是一位重要的社会领袖，他的语言不多，但非常有说服力，且具有永恒性，不会出尔反尔。

“肉必自腐而后虫生”，我们现在讨论社会的怪力乱神现象，只是在讨论“虫”的问题，不是本质，我们更应该讨论的是肉为什么会腐烂？那就是思辨教育的完全欠缺。

不管在佛教或是基督教，思辨都非常重要。整部《维摩诘经》是维摩诘居士和文殊菩萨的对话，全部在思辨，而且从两个角度去思辨，它提供了一个非常完善的修行过程的认知教育。在基督教的思想中，我们看到耶稣好几次在跟法利赛人的辩论，也是在思辨所谓真理的问题，甚至在弟子之间也有很多思辨的问题。这些思辨的过程，才能构成一个牢固的、伟大的宗教，并真正发挥对人的影响力。

可是当今教育体系重视的是“结果”，急功近利的要求结果，少掉了思辨的过程，当然有一天会出问题。

我们通常讲“修行”，很重要的一个部分是自己在修行的过程里面，不管是通过哲学的修行，或者是宗教的修行，或者冥想的空间，去感觉到生命的一个反省、检讨、忏悔跟进步。可是如果大家都是急功近利地说：我修行的结果是什么？我要因为修行而看到什么、听到什么、得到什么……全部是功利的，这个修行本身就已经被误导了，跟炒股票、炒地皮没有太大的差别，只是要求获得一个利益而已。

他在现世里这么精明、这么精打细算，得到各种利益，这样的一个生命形态刚好欠缺痛苦，他也会要求来世有更大的、报偿性的东西，这种目的性反而使修行变成一个极其沉重的痛苦，而不能够得到一种释放的轻盈。本来修行是要去拿掉一些东西，却因为过于功利，反而背负了更多更沉重的东西，让人在旁边看了，都觉得担忧、伤心。

其实一个人在危急、彷徨、困惑的时候，都会想要求助，希望能够得到解答，或者得到帮助，这是人之常情，可是另一方面，我们要知道，你在修行过程里，要面对的不只是如此，还有一些经历是来自内在的巨大震动。你要面对自我，并且让肉身一点一滴地去沉淀，它跟刚刚我们讲的祈求是不能够分割的，但我害怕担心的是，所有的修行都被导向于只有祈求，而且非常急切地要知道我会得到什么回报。

意思是把世俗的计算方式拿到了宗教里来，可是宗教的意义本来就不是世俗的计算。当我们是存着这种目的的时候，类似当年在欧洲宗教战争中所谓的赎罪券就很容易产生，很容易堕落成像唐朝的公主卖度牒这样的情况，度牒是出家人的证明书，很多人为了要逃兵，为了要免租税，就向公主购买。缺乏思想教育的引导，宗教与俗世密切结合时就会产生弊病。

西方的启蒙运动表面上看起来好像是反宗教，实质上是辩证宗教。所以现在在西方，比如欧洲，基督教的力量一点都没有消失，反而变得更牢固，因为它已经过辩证的过程。

所以，我一直觉得台湾真的需要在教育里面多加一些思想的成分，像现在的考试内容与方法，根本很难放入思想，都是是非题、选择题，不太有思辨的可能性，因为它就是要求一个答案，而且是唯一的答案。

在此情况下，要求社会有独立思考的公民，根本是强人所难。

我发现我不太能够要求我的学生，因为在他进大学以前，他就没有被培养独立思考的能力。进来以后，我告诉他画画一定要独立思考，不然不能画画，他怎么可能在四年之内独立思考？独立思考是要有十年、二十年的修行啊。

看到生命本质的真相

如果我们有信仰教育的话，我想《维摩诘经》会是一部引发学生思辨的教材。

举例来说，大家比较熟悉的是《维摩诘经》的“问疾品”，就是文殊师利去探病的那一段。因为维摩诘生病了，那个病是假装的，他其实是要用病来说法。然后文殊师利就去看他，并且问他：你修行不是很成功了吗？修行成功怎么会生病呢？接下来他们就围绕这个“病”的问题，开始有了很多的对话，这就是一个思辨的过程。

这里我们可以知道什么叫做病？病与健康是相对立的两个观念。我们说这个人很健康，我们说这个人生病了，生病了就是不健康。而修行就是为了要成为一个健康的人，为什么维摩诘会生病呢？

一开始，“病”的概念就界定了，当然这是一个象征性的概念。维摩诘就回答说，“以一切众生病，是故我病”，因为众生都病了，所以我也生病。在这里我们可以看到，病的概念转换了，他不是不健康，他是不愿意健康，因为他要去担待，就必须去感受所有众生都在生的那个病，他要去感觉那个病，要跟大家在一样是生病的状态中，去了解所谓病——这里已经开始有了对“健康”跟“病”的不同的思考。

后来文殊师利又问，那你什么时候病会好？维摩诘回答，等到众生中的最后一个人病好了，我的病就好了。我们讲的“大乘佛学”就是从这里开始，就是“我愿意是最后一个健全的人、最后一个健康的人”，他要去担负人世间最大的病痛与灾难。我想，在基督教也有类似的思想，耶稣说他被钉在十字架上是为了赎回人类的罪。

当维摩诘被问到为什么会生病的时候，他说“从痴有爱则我病生”，因为我有太多人世间的痴、爱。这是非常动人的一句话，维摩诘讲的根本是一个人性的本质，也就是说众生所生的病，就是因为我们有痴有爱。痴是没有办法看透彻，爱就是有太多的牵挂，可能是父母，可能是兄弟姊妹，可能是情侣、夫妻，可能是师生，可能是物质，可能是修行——因为种种牵挂，心就不够清明，所以“从痴有爱则我病生”。

我自己在读这部经时受到很大的感动，也从中了解到原来我也在生病，对修行也就没有那么大的自满。过去在大学偶然打打坐、到庙里住，觉得自己修行不错，还扬扬得意。可是读了这部经以后，觉得修行本身是一个漫漫无期的自我反省过程，绝对不会是急功近利，马上有结果的——这也是一部思想的书，给人最大的提醒，就连维摩诘居士这么一位大智慧的人，都说“从痴有爱则我病生”，他都觉得修行还在一个病的状态，我哪里能够讲我今天有多么健全，可以担负什么责任？

如果要进一步做更深的思辨，我会建议读《金刚经》，那思辨更细腻，一直在正反正反，永远给你一个东西再打破，然后让你知道拥有以后又失去的那种空的感觉。任何一个伟大的宗教，都要经历一个巨大的破灭，才知道什么叫做空，否则的话，那个空就是假的领悟。

所以我常觉得在人世间所经历的受伤、挫折、坎坷，都是一个领悟的重要契机。这时候我们又可以从另外一个角度看社会所发生的各种问题事件，每一个事件都是非常好的学习机会。如果我们的媒体能有更深的思考，有更大的悲悯，比较哀矜勿喜地去看事情，而不是嘲讽或者尖锐地批判，社会大众所得到的领悟跟检讨也会比较深。

当一个宗教事件被揭发了，所有的信仰者所经历的破灭都应该被担待、谅解。因为他这四五十年来，都没有受到很好的思想教育，你怎么忍心批判他？当他所信仰的一切都幻灭时，他是应该被同情的。

我想，在那个破灭的时刻，他有很多东西可以学习，他是有机会大彻大悟，真正走到信仰的路上去的。媒体实在不必在这个时候赶尽杀绝，把这些信仰者报道成愚昧的愚民，这对整个社会的进步没有任何的好处。我觉得他求修行的心该被谅解，产生这样的悲剧，是因为我们没有信仰教育、没有思辨教育，那么大家一起来反省跟检讨，不是更好吗？

尤其是文化传播工作者在这个时刻更应该比一般民众要多一点的反省跟思考，这个现象绝对不是单一现象，它会一再发生，就像我们的信仰跟思想整个是一个巨大的空洞。当精神太空虚时，只好随便抓一个东西来补充，就好比一个人在汪洋大海中载浮载沉，任何一片浮木漂来他都会牢牢抓住，他没有办法判断这块木头的本质。

所有的宗教最后都是教我们从自己身上找到力量，可是在一个精神空虚的时代，又突然遭逢变故，比如说亲人生病，或者车祸丧生，难免会困惑、茫然，不知道该怎么办？这个时刻，就会想要祈愿些什么东西，信仰些什么，任何一个接近他的信仰，不管好的坏的，他都会相信，这是一种情绪性的反应。

所以我们要重新检讨的是，如何在教育当中一步一步地把思辨的能力建立稳固，一旦有突发状况时，就不会乱了方寸。当他能够看到生命本质的真相时，就不会被假象所迷惑。

没有绝对精神上的快乐，也没有绝对物质上的快乐，走向极端的任何一边，都可能导引出一种不健康的生活。

第V讲

谈物化

公元一八四〇年左右，西方世界出现一种新的思想，我们笼统称之为左派思想，也就是社会主义、马克思主义的思想，在于平衡资本主义。如果不从政治的角度来看，社会主义其实是一种哲学，马克思、恩格斯等人至今在哲学史上仍有其地位。此外，无政府主义（安那其主义，Anarchism）者如法国的蒲鲁东（Pierre-Joseph Proudhon, 1809—1865）、俄国的克鲁泡特金（Peter Kropotkin, 1842—1921）这一群人，也都提出一个问题：如何制衡人的物化？

在他们的哲学中，最重要的一个检查能力是：人不可以物化。意思是说，物质要发展没有错，可是人还是要做主人，不可以为物所役。你买车子、买房子都没有错，可是不要到最后变成车奴、房奴，变成你在养它，而不是它在让你幸福。

中国的春秋战国时代，已经有这样的思想。春秋战国时代是生产经济很蓬勃的时期，因为铁被发现了，而最早发现铁的人，犁田的速度加快许多，自然生产量暴增，所以就出现大的商户，如吕不韦，他可以把《吕氏春秋》公告在城墙上说“一字千金”，谁能更动一个字，就给他一千两的黄金，这种气派，到今天也很少有。

就在物化的环境中，刺激了哲学家的出现，如老子、庄子、孔子，他们面对社会物化的现象，提出很多不同的看法。譬如老子说过：“五色令人目盲，五音令人耳聋”，意思是要大家不要过分追求感官刺激，因为太多颜色，眼睛就会“瞎掉”，太多声音，耳朵就会“聋掉”。

又譬如墨子提出“兼爱”，要求你如果想要拥有某样东西，要问别人是不是也有，不要一个人很富有，其他人却是 “勤苦冻馁，转死沟壑中”。

在春秋战国那样一个物化的环境中，刺激了诸子百家许多优秀的哲学家出现，形成一种思想的分裂，而这种分裂是有好处的，像墨子、孔子周游列国，因为他们要到一个他们可以讲话的地方去讲，商鞅也不是秦国人，但他跑去秦国讲他可以被接纳的哲学系统。

我们可以说，那是一个好的时代，因为可以产生一个好的思想上的制衡。现在呢？

我想，我并不担心我们要面对台湾这么一个高度物化的现象，我担心的是有没有一个力量出来制衡？

或者是说，为了刺激商业，财团、企业或者商人在进行物化的工作，那么教育界、学术界是不是应该要扮演一股清流，出现像老子、庄子这样的人？

当我们打开报纸，看到那些应该产生老子、庄子的知识殿堂也被物化时，才是最恐怖的事。

在法国，学术界在社会物化的过程中一直是扮演清流的角色。法国印象派大师莫奈在一八七〇年左右曾经逃亡到伦敦，因为他支持的巴黎公社，遭到法国政府镇压。这是社会精英分子以一个比较平衡的观点去对抗资本主义的例子。但在台湾，我真的很怀疑，所谓的“知识分子”、所谓的“精英”，是不是也一起在物化中？

知识分子应把持的价值

我们的文化有这么深厚的哲学底子，仍难逃被物化的命运，我想，也许是商业太厉害了，厉害到已经渗入校园。我在大学里面，看到教授讲的话、学生办的活动，其实都是非常商品化的。

第一讲曾提到，我帮朋友代课三个星期，课后和学生聊天，学生告诉我有一个刚从美国拿了硕士回来的老师，上课时两只手机轮流响。我听到这样的话，对照那位为了买手机而抢劫的学生，真的一点都不意外。

在大学教书的老师，难道不会在上课时请学生关机吗？为什么自己却是两只电话轮流响，还被学生当做笑话在校园里流传。老师很忙，忙什么？忙赚钱，这个时候你还能够教学生吗？

如果我们觉得大学生抢钱去买手机令人错愕的话，那么更该错愕为什么会有在课堂上讲手机的老师。

我自己在上课时，即使只是代课，都会跟学生说：如果你们的手机响了，我就不要代课了。这是一种最基本的道德，尤其是在追求知识时，更应该共同遵守。当老师在课堂上讲手机，而且是两只手机轮流讲，并被学生传为笑谈时，这个教育系统一定是有问题了。

又譬如台湾的建筑系，会鼓励学生到建筑事务所打工，工作到没日没夜，学校的功课可以不做，因为这些老师本身就是建筑事务所来的。这个时候，学生已经加入社会的赚钱行列中，他没有一个制衡的力量。可是你去看看法国建筑系的学生，他很可能在思考五十年以后法国会出现什么样的建筑物，他不是关心当前商业的消费，他关心的是我能不能在建筑史上有所突破。

同样是欲望，法国建筑系的学生要的是一种名誉的、清高的渴望，而我们的学生却是想着如何在毕业以前就把钱赚饱。建筑系的学生如此，信息系的学生也是，他应该思考的是如何设计出一个程序，引导一场计算机的革命，而不是赶快发展一种软件在光华商场里卖钱，或是毕业后要进入哪一家大公司当工程师。

如果我们的思维是困在消费形态中，整个大学体制就会垮掉。

我很幸运，教导我的老师都是非常优秀，如俞大纲先生、陈映真先生，他们的道德人品非常高尚，让我受益良多；他们没有被物化，他们对社会有自己的良心，他们把知识分子应该把持到最后关口的价值留在身上。

祭祀繁荣经济的动物

另一方面，我们的工商界也非常需要人文的东西，今天很多有见识的大企业家都已经后悔当初提出“科技导航”的观念，他们认为过度强调科技的发展，让台湾因此变成没有伦理、没有道德的科技岛，变成一个……怪物！

就像多年前就有人检讨新竹这个地方，因为高度发展科技，所以这里的大学和科学园区的形态，均变成一个非常冰冷、没有人际关系的环境。

当时我去科学园区演讲，对象都是高薪的科技新贵，他们让新竹县市的国民所得仅次于台北市。他们对我说，我们不是机器啊，我们不能整天高科技，我们也要看电影，也要书店，也要有画廊，可是这些新竹都没有。

这就表示在城市设计之初，这些人就被当做机器，不是当做人。才有后来急速地需要画廊、书店、安排大量的演讲带动人文的建设。我们在一个很狭窄的“经济起飞”的观念中，把人整个牺牲掉了。

所以后来我辞掉大学的工作，在民间上课，我的学生都是在科技领域或是企业界主管级的人物。我开始觉得要挽救的是这一批在商业系统当中物化得最严重的人。他们极不快乐，因为问题已经发生了，使他们的精神苦闷，也因为不快乐，所以我说的话，比较容易听得进去，他们比较愿意做一些挽救的工作，而他们对社会的影响力也许是比大学更大的。

走上极端的另一边

我要强调的是，经济文明不是不好，不好的是没有平衡的力量。

物质与人文是两个极端，我不想从两全其美的角度去思考，我认为人精神上的快乐与物质上的快乐，需要平衡；没有绝对精神上的快乐，也没有绝对物质上的快乐，走向极端的任何一边，都可能导引出一种不健康的生活。

我的意思是说，当你拥有一个物质的时候，你要能清楚且不断地问自己：我是不是真的拥有这个物质？

譬如说你有一栋房子，住在这栋房子里会让你感觉到快乐，因为房子提供你生活的安全感，或是提供你视觉上的享乐，你可以看到山、看到水，感觉周遭环境带给你精神上的满足。这个时候你就是拥有物质。

相反，你买一栋房子的原因只是因为这个地区要修地铁，房价要涨了，或是这边的房子值得投资，钱途看好，这就是一种物化。房屋的价值不是由你在主控，你是被物质所拥有的。

如果你读过《小王子》，就会很清楚孩子在形容房子的美，和一个功利的商人形容房子的美，是截然不同的。如果对于自己要坐卧起居的地方，只是关心价格，我们就不会得到拥有那栋房子真正的快乐。就好像有钱的人不一定快乐，如果他只是拥有空洞的数字，他的精神是匮乏的。

话说回来，人文与物质的两难自古皆然。

中国人有一种世界上少有的、特别的观念：特别压抑商人。我们讲士农工商，把商人摆在四个阶级里面的最后一位，整个社会也充满了一种，几乎是过度的，对商业的羞耻感，一直到清朝以前都是这样的状况。即使商人想尽办法，为他的儿子买一个举人、秀才，附庸风雅，到最后还是被觉得庸俗。

而为什么说“附庸风雅”？就是以人文为价值的最高标准。所以在大部分的朝代，商人很有钱但不敢太过嚣张，管理阶层对于商人也有很多限制，例如不能穿士大夫的衣服、不能参加科举。我们看到这样的法律时，会觉得好像有一点不公平，可是事实上，这条规定有其政治上的考虑，是为了防范官商勾结。

中国人很早就意识到官与商这两种人在一起的严重性。在春秋战国时代，吕不韦以其强势的经济力量控制秦朝的政权，让后人引以为鉴，所以汉朝以后，主政者对商人的压抑就非常明显，读书人的地位提升到最高，其次是农人、工人，最后才是商人。这种社会阶级，就像印度的种姓制度，有优点也有其缺点。抑商主义的缺点就是让中国近代的石油贸易和资本主义很难发达，我们没有办法培养出大企业家，因而构成资本主义的弱势，落后于西方。

可是今天在台湾，抑商主义不复存在，反而是空前的“重商”。整个社会对于价值的判断只有一种标准：有没有商机？讲得更难听一点，不管哪一个党派的背后，都是财团。

当土地的划分、开发、建造是为了便利财团，就会发生滥砍滥伐、过度开发、水土破坏的结果，让许多无辜的人受害。而若是放任重商主义继续发展，我想最后受害的会是全部的人，不只是一般老百姓，连财团本身也要受害，他们的子女也无法逃避这种奇怪的因果循环，在冤冤相报的过程中，自尝恶果。

我很佩服社会上有一些人从很“宗教”的角度去做制衡，也有一些人从哲学的角度出发，虽然他们的声音很微弱，可是我觉得这种制衡是了不起的，它会慢慢提醒我们，在你想方设法要获利的过程中，是否思考到下一代，你的下一代会变成什么样的一代？

这个因果并不神秘，相反，显而易见。当你没有花费很多时间在培育人文与精神的美，没有传承做人最基本的道德时，你的股票增值、房价大涨、企业营收数字越来越高，但是你的下一代可能为了解不开的三角感情而谋杀、为了买手机而抢劫、为了一场口角杀死双亲。

全世界大概没有一个地方像台湾一样，这么不限制商业的发展，其他国家和地区对于商业或多或少都有制衡的规定，可是我觉得台湾在制度上、社会道德上，都没做这件事，所以我们要付出的代价会特别大。

社会的物化在不知不觉中

在欧洲，如德国、法国很早就发展出联合执政的制度，密特朗当选总统时是社会党执政，但他请其他右派的人来担任总理，这就是我要说的“平衡”。可是在台湾，不管是第一大党、第二大党，都只有一种声音。我们的左派力量在哪里？

偶尔我们会看到一点点希望，在大学里面一个有良心的大学教授会为弱势族群讲一些话，为原住民、为劳工阶层、为老兵、为公娼发出一些声音，可是在整个“立法”系统中几乎没有——除了选举造势时被提出来讨论，但我们都知道，此时弱势族群扮演的不过是花瓶的角色，没有真正的声音。这是台湾政治最大的问题，我们根本没有左派利益的呼声。

甚至在选举中，我们偶然看到一个清流的人物，但很悲惨的，没有人注意他，没有人在意他的名字。仔细听他谈的东西，不是政见，是一个人最基本要坚持的道德、良心，但那个声音让人觉得好无力。当你对别人说：“我觉得那个人形象很好。”立刻会被反驳：“别讲了，他根本不可能选上。”

为什么我们觉得这个人一定没有机会选上？因为大家都知道他太

正直了。但正直不是很重要的一件事吗？

好像连我自己也要检讨了，为什么我不支持这个人？我们知道他不跟财团结合，多年来在街头做劳工运动，可是最后我们说：他是不可能当选的。

问题真的要回到我们自己。

社会的物化是不知不觉的，真的是不知不觉的……我们可能都在其中。而那些少数坚守自己的岗位，抗拒被物化的人，他们保留住自己一个最低最低程度的坚持，和公娼站在一起，和劳工站在一起，和老兵们站在一起，真的是让我觉得非常感动。我很愿意向他们致敬，也衷心希望这样的人可以更多一点。

二十世纪七〇年代我在法国读书的时候，曾经亲眼看到萨特（Jean Paul Sartre, 1905—1980），站在阿拉伯工人前面去游行。那个时候瑞典文学院已经授予萨特诺贝尔文学奖（但他谢绝领奖），同时他也是世界闻名的大哲学家，我见到他，年纪很大，双目失明，却仍然站在阿拉伯工人前面，为他们争取权利。他说，这些阿拉伯工人，是我们在经济不景气时，用低等的价钱请来的，在他们帮助我们经济繁荣后，怎么能忽然说不要他们了？他主张应该让这些工人拥有法国籍。

他就站在这一群人当中。

我很感动。这真是一个知识分子啊！

然而，这个时候紧急刹车也很危险。要在极短的时间内去扭转价值观，很容易就走向另一个极端。

维持社会的多元性

欧洲在整个工业革命之后，是靠一群有良心、有觉醒力的知识分子在踩刹车。当右派资本主义要往前冲时，左派的社会主义就踩刹车，一个成熟的社会其实就是两股力量互相制衡。只有左派也不对，因为没办法生产、没办法消费，所以我们看到很多社会主义国家最后还是要接受资本主义的挑战，大陆就很明显，它一直用刹车的方式，最后发生问题，它无法前进。后来的改革开放，就是踩油门，刺激生产和消费，让人民的生活更富足——可是同时“左派”的力量还在。

德国前总理施密特到台湾演讲时，说过一句很重要的话：二〇二五年时，欧洲的货币和人民币将会是世界两大强势货币。这句话不会是无缘无故的推测，施密特长期待在德国财政部，所以能敏锐地观察到,欧洲和中国大陆是同时存在两股制衡的力量,不像美国的一面倒;他认为美元迟早会衰退,就好像你拼命踩油门,终会将油耗尽,车子就只能停在那边,动不了。

相对于美国,台湾本身的资源非常少,我们是靠廉价的劳力富有的,如果我们还不节制,发展出制衡的力量,有一天我们也会停摆,动都不能动。我在谈的不只是政治,包括企业内部都应该有这样的力量,才能够谈永续经营。企业不是个人的,它是一个共同体,即使你有足够的资本垄断经营权,还是必须有一个"共同"的观念,就是左派思想,就是"利益均沾"的概念。企业一定会面临从"独享"走向"共享"的转型过程,因为将来工人也会自觉,他与企业共生,当然有权要求共享。

若我们的社会最终目标是永续,也应该要发展出共生共享的观念。

欧洲在十九世纪就已经高度资本化,生产消费从良性循环变成恶性循环,从需要而购买变成大量的消耗与浪费。所以在一八四〇年以后,马克思、恩格斯他们就从不同的角度提出"节制"的观念,其实孙中山的思想也是,他也是在讲节制,因为他刚好在欧洲受到这股思潮的影响,他提出的民生主义是左派思想,不是右派思想,他同样认为资本不应该放任,而是要节制。三民主义本身就是倾向"节制"的概念,而不是不断地刺激生产消费。

我想他们都已经预见了，资本主义不断地刺激生产消费，最后是个人发财，大家一起贫穷，最终就是杀鸡取卵的结果。今日的台湾正处于此一危机之中，但又有多少人意识到？关于经济颓势的挽救应该请教专业的经济专家，我们无从置喙，但是发展出制衡的力量，却是知识分子可以做的。

我们谈论资本主义的问题、物化的问题，不是希望最后大家都奉行严格的禁欲主义，放弃所有的物质生活。我有一些朋友的确这么做，他们离开台北到东部去，过着非常简朴的生活，穿棉布的衣服，每天到菜市场去捡人家卖剩下来的菜叶和水果。我很感动，也对他们有很大的敬重，可是我觉得那是一种很高的宗教修行，对一般大众并不适合。

一般大众还是会有一些小小的物质贪念，一些小小的情爱生活，这是很基本的，无可避免的。可是，我们都可以做点什么，让自己不要那么轻易“服输”，如果说物化是一台巨大的绞肉机器，我们可以选择不要被卷进去。这个体制一旦运作起来了，整个自然环境都会被绞进去，土地被开发、林木被砍伐，然后变成物质买卖。甚至是人文的东西，例如教育、道德、伦理也都可能被绞得支离破碎。

我们不是要责备谁喜欢一件漂亮的衣服，谁买了一双漂亮的鞋子，而是如何面对这巨大的机器体制，当它一直运转时，我们要怎么让孩子有力量去思考、去判断，进而去对抗。

今天在台湾，我会佩服一些宗教界的人、哲学界的人、从事环保与社会运动的人，他们很努力想让这部机器停下来，或至少不要转得那么快，把无辜的人都绞进去。因为这部机器非常厉害，若让它毫无节制地运转，恐怕你我都无所遁逃于天地之间。商业买通政治、买通学术都已经不是新闻了。

知识分子也该尽一份力。所以我想呼吁知识分子不要那么入世，入世就可能更快进入绞肉机中，要保持一点点出世的思想，保持一种冷静，如此才能看得更清楚。譬如选举的时候，一个政治学的教授不要去为候选人站台或变成助选员，要保有在政治学术上的清流角度。如果变成站台和助选员，就很难客观，也许对手有你政治学上赞同的东西，而你站台的这个人有政治学上不赞同的东西，你也不敢讲出来，学术地位就被干扰了。我要强调的是，知识分子应该保有一种客观性，独立思考，不要站在任何一个利益团体中，为其主张做解说。

我特别说是知识分子、读书人，不是普罗大众，因为他是比较有思考能力的人。譬如在学校里教书的老师，他要思考如何让自己的专业不要轻易地被体制所利用。简单地说，就是孟子讲过的“富贵不能淫，贫贱不能移，威武不能屈”，这三句话其实就是在讲权力和财富会如何污染知识分子，应该尽量保持距离，靠得太近，角色立场就很难清明了。知识分子也可以聚集成一股力量，尤其是在“得天下英才而教之”的时候，我相信这是一种富裕。为什么我们的知识分子不以这个方法互相靠近，而要走向利益集团？

我相信还是有很多有为有守的人，在他们的岗位上，努力平衡社会的物化趋势，即使他们不完全成功，都是让人敬佩的。他们就是所谓的先知、先觉，在一个社会里面，这批人所做的事情非常重要。

要注意的是，弱势也可能变成拥有权力和财富的强势。譬如过去被政党团体压抑的社会，一些有良心的知识分子理所当然地为弱势政党挺身而出，但这个弱势政党与财团结合的时候，或是这个政党执政的时候，他就不再是弱势，知识分子就要非常小心地保持自己的中立性和客观性。如果这时候你不能抽离那个帮助他的角色，就很危险了。

当然，我们要提防的是体制，不是针对个人。如果你所帮助的对象已经进入体制中，拥有权力与财富，不管是自愿的或是因为职业的关系，他就是操纵绞肉机的人，绝对要保持距离，否则你也可能变成推动绞肉机的一员。这个意思不是要与所有的商人为敌，实际上，商人也是资本主义绞肉机的受害者，很多第一代白手起家的父母，勤勤恳恳，过朴素的生活，第二代却问题百出。他自己没有在绞肉机当中，第二代却被卷进去了。

我们没有办法期待操纵绞肉机的人，让绞肉机停止运转，这太一厢情愿了，商人有商人的立场，譬如说他手下有五万个工人要养，他能够不生产、不想办法刺激消费吗？而知识分子与权力和财富隔离，也不是自命清高，就像我前面说的，我不赞成用禁欲主义来抵制物化，知识分子是要从一个充分了解社会、了解人性的角度，去思考这个问题。

资本主义的单一化最后就是发展为一部巨大的绞肉机，把每一个人都绞进去，而我们要做的，就是形成一股制衡的力量，以共生共享的概念，去阻挡绞肉机的运作，并维持社会的多元性。

神话有一个无限领域，可以同时满足幻想的创造力与科学的创造力，所以小孩读神话，他可能将来变成科学家，也可能变成文艺家。

第VI讲 创造力

神话是文学的起始，文学是文化的起源，一个社会不能缺少神话与文学，圆满的心灵生活也不能缺少神话与文学。

神话是文学中非常重要的一部分，而且我自己一直有一种感觉，不管是中国或是西方，文学的起源和神话有非常密切的关系。

讲到文学，很自然就想到文字，因为文学要用文字记录，这是我们第一个要打破的观念，因为文学的起源，远比文字还要早。不是用文字书写才叫做文学，最早的文学是口述的，就像我们读基督教《旧约圣经》，里面很多是口传文学，后来才整理成文字。中国最早的《诗经》，也是民间流传的歌谣，后来才被文字记录。

文字的历史，在世界上出现的时间不会超过五六千年，在有文字以前，我们称之为“史前时期”，就已经有大量的民歌和祭祀仪式的咏唱，内容和神话故事都有很大的关系。这时候虽然没有文字，但祭祀时，人的肢体、语言、歌声、舞蹈都可以视为一种“文字”，这也是一种文学的书写。

例如我非常感兴趣的《旧约圣经》，若不把它当成宗教经典来看（事实上我也从来没有把它当做宗教经典），就是一部希伯来民族的神话传说，也是一套很完备的创世记故事，它非常清楚地告诉你宇宙如何被创造，无关乎我们同不同意，或科学上是不是已得到证明。

人对整个宇宙所知有限

早期的人类对于宇宙的形成、对于人的出现，会感到好奇，需要有一个解释，就像我们小时候会问："我从哪里来？"妈妈就会用各种不科学的说法来回答你，那个就是神话的起源。这种可能是不想用科学，不愿意用科学，或者根本就是处于没有能力使用科学的时代，于是就用想象传述，对于没有办法解释的事，就创造了一个耶和华的角色，他是一个无限权威的神，他是一个超能力的神、是全能全知的神，他创造了星球，创造了黑夜和白天，并把海洋和陆地分开，在七天当中，完成了今天所说的创世记宇宙生成的过程。

这个说法一直到了文艺复兴时期才被怀疑，伽利略和哥白尼用科学证明了太阳系和地球的关系，才发现地球不是宇宙的中心。但是有长达上千年的时间，人们相信《圣经》的说法，并且用它来解释宇宙的形成、人类的诞生，他们相信耶和华在创世记的第七天疲倦了，他感到非常累，在他完成的宇宙中，感觉到不可言说的孤独，他觉得应该有一个陪伴他的人，所以他就用泥土复制了自己的形象，赋予他生命，这个人就是亚当。

有很长的一段时间，人类相信人是神用泥土捏出来的，他觉得这就是科学，不只是《圣经》，在中国也有女娲造人的传说，她也是用泥土，而且很多民族都有类似的说法，这一点非常有趣，就是说，神话是介于科学和幻想之间，你说它不科学吗？那为什么每一个民族都有用泥土造人的说法？我想这是一个值得讨论的事情，它可能是因为人类在最早用手捏塑泥土制陶的过程中，感觉到了“创造”，创世记就是一个创造的过程，所以他用这一种联想去解释人类的诞生。

今天我们大概都不会接受《圣经·创世记》里的说法是科学，而是把它当做神话、当做文学来阅读。它也影响了很多的作家，譬如跟我同年龄的台湾作家施叔青，在我们大约二十几岁时，她写过一篇小说叫《约伯的末裔》，典故就是来自基督教《旧约圣经》里约伯的故事。所以我们千万不要以为，当科学说这个东西不存在、是假的，它就没有意义了，相反的，它有加倍的意义，人类的科学与幻想之间并没有那么清楚的界线。

就像我们常常会听到朋友上一秒说：“这东西完全不科学！”很明显是在批判一件事，可是下一刻他突然做了一个行为，完全是自己不能解释的，是不科学的。这里非常有趣的是，在每一个人的思维过程中，其实科学和幻想是交错的，它们是一个相对的关系，不一定是对立，也可以是相融合的关系，因为人真的所知有限，在一个所知有限的世界里，他必得要倚靠很多奇特的方式去应对，所以我们的社会里会充满了迷信，用左眼跳右眼跳，或者星座、手相来使自己相信命运的吉或凶，这是一种幻想，是不科学的，但至今仍存在，就这一点来说，我们并没有比五六千年前的人进步，甚至我们可能加了更多“莫须有”的迷信。我也会看到身边的朋友，用高科技的计算机在演算星座盘或是紫微命盘，把幻想跟科学结合在一起，这其实非常有趣。

我想，文学的开始，也是介于科学和幻想之间，它一直试图进入科学的领域，但仍然夹着大量的幻想性，因为我们必须承认一个事实：人对整个宇宙所知有限。

“信徒”是文学的障碍

我们现在看到很多神话是与宗教结合在一起，包括希腊神话都反映了当时人们的多神信仰。奇怪的是，我们会认为希腊神话是神话，却不会想到《圣经》也是一部神话，因为《圣经》与宗教的结合比较紧密，就失去文学性了吗？

我想，完全不能这样讲。

我们不能说希腊神话比较文学，《圣经》比较不文学。对我来说，《圣经》是更伟大的文学，比起希腊文学一点都不逊色，两者的影响也都很大。我相信也有很多人跟我一样，是喜欢读《圣经》里的神话，像是法国作家纪德（André Paul Guillaume Gide, 1869—1951），纪德认为影响他一生最大的就是《圣经》，这部分绝对不逊色于希腊神话的影响。

我们现在不会把《圣经》当做文学作品，是因为它被当做宗教仪式中的一部分，就是有一个信教的过程。信教很奇怪，它很容易让人排斥某些东西，当《圣经》变成基督教的一部分之后，非基督教徒可能就会开始排斥这本书，不再把它当文学作品，而对基督教徒而言，它也变成一种信徒式的信仰，不是文学了。

我这么说大概有点“叛教”吧！其实我小时候到教堂去，和神父一起读《圣经》时，就一直把它当文学读。在那个年代，读文学作品的机会不多，家里也很少文学性的书籍，《圣经》就变成我最早的一部伟大文学书，因为里面用的文字非常漂亮，文辞非常美，它的用辞和希腊神话非常不同，有一种斩钉截铁的“绝对性”。米开朗基罗为什么会创造出西斯廷教堂中伟大的壁画，绝对是他读这到这部文学时，得到很大的震撼和感动，不然他画不出这个图像。我要解释的是，我们会完全接受米开朗基罗的图像为艺术，实际上他画的就是《圣经》的连环图，却排斥《圣经》作为一部伟大的文学？

有人可能会说，因为《圣经》是宗教的经典。我想，“经典”这两个字是非常容易骗人的，很多很多宗教经典都是文学。譬如说佛经，对我来说也是很伟大的文学作品，《楞严经》里面对于各种奇特的幻觉与现实之间的错离，文字描述得非常生动。当你是信徒的时候，你根本不敢用文学的态度去读它，你会恨不得立刻就跪下来膜拜，你没办法思维，可是当时佛在恒河岸边说法的时候，会感动这么多人，会到“天花乱坠”，天花像雨一样飘下来，绝对是有文学。

我到灵鹫山的时候，带着《法华经》，释迦牟尼佛就是在这里说这部经的，当时我就感觉到，这部经在这么一座怪石嶙峋的山里面被说出来的感动。所谓“经典”，还是要放在人的世界里被阐述，我们的感动是跟环境有关系的，就好像有一天当我们到了山东的沂水岸，会去想象《论语》这部书是如何被讲出来。所以，当我到耶路撒冷时，我也是带着《圣经》，我坐在那边想，这一部经就是在这个环境里诞生，这个时候完全是文学的。

我不是用信徒的态度，“信徒”是文学的障碍，如果他不是透过经典里的语言文字来看待一个文明的伟大，他是不能发现经典原来就是文学。

我这边说“语言文字”，其实是先用语言，文字是后人的记录。

每一部经典都有一个非常迷人的语言叙述系统，譬如《维摩诘经》的语言就是很惊人的，那就是一种文学的能力。但在信仰系统里，这个部分被拿掉后，信仰就很容易变得空洞。包括《六祖坛经》我都觉得很了不起，它阐述经文的方式比现在我读过所有的武侠小说更有趣，里面推理的系统、情节的演变都很精彩，我相信，它绝对不会是由一个木讷的人讲出来，木讷的语言根本不可能让大家都进入他的世界中。比如说六祖要隐藏在猎人的队伍当中，带发南逃，以及他到了黄梅以后，看到风动、幡动……整个的描述都是非常生动的。我的意思是说，如果是换另外一种说法、写法，会有信徒吗？

我很希望提醒这一点，当我们接触神话时，它可能跟宗教有关，可能跟宗教无关。今天希腊很幸运，因为希腊的信仰在今天不会被当做一种宗教，大家会很单纯地觉得那就是文学了，而《圣经》和佛经，已经被与宗教画上等号，大家就不把它们当文学在读。可是我要说的是，这些经典是真正了不起的文学！应该要与希腊神话有并驾齐驱的地位。

虽然很多宗教教派并不希望如此。教派希望信徒有行为，但不要有思想，他根本不希望你透过经典去思考，几乎所有的教派都把解经视为权力，一般信徒不能解经，必须通过神来解经，就好像早期的人跟神不能画在同一张画上，中间必须隔着天使。所以就有了神父、僧侣来扮演权力诠释者的角色，由他们来解释经典，而且只有他们的解释才是正确的，一般人没有办法真正去阅读，所以经典的文学性就被扼杀了。

或者这样说，为什么圣方济各在基督教中有很重要的地位？因为他是第一个用意大利文讲《圣经》的人。当时《圣经》是用拉丁文写的，意大利人看不懂也听不懂，就好像我小时候听天主教神父用拉丁文唱《圣经》时，听得一头雾水，后来有个神父开始在台湾进行改革，用闽南语跟汉语读《圣经》，我才终于知道原来内容是如此。

听不懂的东西当然就没有文学性，因为我们根本无法理解，如果教派希望经典不用被阅读，只要传诵，就好像佛教用梵语诵经，信徒只有接收到声音，却不懂内容为何，当然它的文学性就死亡了，文学的阅读性和思考性就消失了。

经典文学传颂千年

我们现在读的希腊神话，是在十八、十九世纪才由英国、法国、德国等学者重新阐述改写的，他们把古代的传说故事整理出来，集结成希腊神话。如果有人去了雅典，到巴特农神殿，会发现底下有一个圆形的剧场——戴奥尼索斯剧场（ Theater of Dionysus ），这是一个九层楼的剧场，当时在这里上演的荷马史诗，就是为了祭神用的，是仪式中的一部分。这有一点像是我小时候在保安宫看的戏，这个戏的演出是为了庆祝保生大帝的生日，但它本身也是文学，是一个有很强宗教仪式性的东西。

早期人类的文明与神是没有办法切割的，只是我们慢慢倾向于说宗教就是神的形态，而经典是以信仰为主的书写，慢慢地就不重视其文学性。可是，这些经典若没有文学性，不可能传颂千年的。

我到耶路撒冷时就在想，在这么干旱的土地上，要聚集几千人听一个人讲话，讲了几天几夜，讲到大家肚子都饿了（所以有“五饼二鱼”的故事），在这样的情况下，这些人还是不离开，表示这个人的语言能力是不得了的！这么漂亮的语言，我们在《圣经》里面就可以看到，譬如说“所罗门王最富有时的全部宝藏加起来，不如野地里的一朵百合”这种像诗一样的句子。

人类在上古时期，在文学还没有独立为一门学问的时代，文学就是巫师口中唱诵出来的东西。印度最早的《玛哈帕腊达》（*Mahabharata*）是印度教对宇宙生成的念诵，后来林怀民先生将它翻译成中文《摩诃婆罗达》一书（由联合文学出版），就是比佛教还要早的印度史诗，和《罗摩衍那》（*Ramayana*）一样都是史诗形态，也是在唱赞天神仪式中的一部分。这两部是印度的两大史诗，都跟宗教仪式分不开，我们今天把它们分出来称之为文学，成为印度文学的起源，这两部作品都是经典，既是宗教经典，也是文学经典。

文学的发展在中国比较特殊，本身好像没有很强的宗教性格，但《诗经》《楚辞》里面真的没有宗教吗？其实不然，《楚辞》里最重要的《九歌》，绝对是宗教！他不是屈原的创作，而是改编自湘江流域祭神的歌曲，唱赞湘夫人、河神、天神、太阳神，和宗教仪式还是有很大的关系。

没有幻想就没有科学

有一点是我们要注意的，就是我们的文学对于神话的淘汰，或者说是神话的褪色，速度比希伯来、比印度、比希腊都要快，为什么？

我相信，与周朝的文化有很大的关系。因为“子不语怪力乱神”，所以后来我们的文明都不太喜欢神话，甚至想把这东西去掉。我们发现，在商代的甲骨文文化中，神秘性和幻想性都很高，但到了周朝，很快就进入理性思想中，这是一个进步，一个伟大的进步，因为我们确立了一个以人为本的文明，把神的意义贬低了，而在此同时，世界其他地方的文明，如印度、希腊、埃及等地区，神的地位还是很高。

这个改变，以今日来看，你会觉得是进步？还是退步？

如果没有文学，

我们总是站在自己的角度，

用喜欢或不喜欢去判断一个人。

我想，是一个遗憾。神话褪色得太厉害了，以至于现在很多学者努力地在找回我们的神话，因为缺少了神话之后，你会发现我们的文明，少掉了丰富，少掉了对于宇宙更大的好奇。而这个东西又跟科学有关系了。在希腊神话里，伊卡洛斯（Icuras）想要飞，他的父亲就做了一双羽翼给他，让他飞起来，这好像是一个迷信幻想，但对照西方后来从飞的愿望到飞行机器的发明，它又变成科学了。

一如很多人已经提出来的观点：幻想跟科学是有关的，没有幻想就没有科学。所以我们可以看到，神话的消失对中国发展科学造成的影响，当我们很满足于人的世界时，怎么会愿意去尝试飞起来呢？

大概从民国初年开始，大家才又开始注意神话学，譬如闻一多研究伏羲，为什么伏羲是半人半蛇？以及近代的学者王孝廉在日本做神话学的研究。神话慢慢独立成一个领域了。

检视古老幻想里的集体潜意识

幻想是神话一个很重要的元素。例如神话里面肉体是可以飞的，像前面讲的伊卡洛斯，或者是中国神话里的嫦娥，也是一个可以飞起来的肉体，而且还很具体地飞向月亮。很有趣的是，长久以来，我们的民族对月亮有极大的幻想，对太阳的幻想好像就没有月亮那么高，很奇怪！不知道是不是因为这个民族太……太农业、太勤劳了？因为白天都要很勤劳地工作，所以白天是非常理性的，只有在傍晚入夜以后，会有一点休闲时间，才开始幻想。

我们对月亮的情感真的比太阳深，文学里有很多跟月亮有关的幻想，嫦娥奔月就是一个极美的神话，几乎可以说是最美的神话。相反的，看到太阳则是要射下来，我觉得很有趣，会不会在潜意识里我们并不喜欢太阳？因为太阳象征一种压抑，白天就是逃不掉要工作、要劳动，古代叫“日出而作”，而等到日落时，太阳消失了，人才能休息，幻想性才会出来。所以嫦娥奔月经常是和后羿射日的故事合在一起谈，这两则神话可能隐藏了一些集体潜意识，倾向于月而不倾向于日，倾向于阴柔而不倾向于阳刚，倾向于女性而不倾向于男性，对比在现实世界里的状态，就会变得很有趣。

鲁迅在《故事新编》里面，就把它写成一篇很有趣的故事，好玩得不得了。鲁迅受日本神话学领域的影响，回国后很努力地在整理中国神话，并用极高明的手法重新改写成小说。在这篇小说里，你会觉得后羿好笨喔！就是一个“憨男人”的类型，每天去打猎、打乌鸦，把乌鸦做成肉酱，做成乌鸦肉酱面给嫦娥吃，嫦娥就觉得很烦，觉得这个男人真的很笨，所以她很努力地要去奔月，要离开这个男人。

我觉得，我们在神话里反映的潜意识还亟待开发，就像弗洛伊德从希腊神话那喀索斯(Narcissus)的故事里提出“水仙花情结”(自恋),就是用现代人的角度把古老神话里的潜意识开发出来。我觉得我们缺乏一个弗洛伊德，我们神话里的潜意识尚未开发出来，所以我们无法说明为什么我们这么爱嫦娥奔月的故事。

神话在漫长的文学渊源中，会不断被诠释，赋予新的意义。弗洛伊德去探究潜意识这个东西，发现人除了表面的层次外，还有一个底层的层次，是我们不想去碰，也不敢去碰的部分，他去研究后发现，那个部分会反映在人类的梦境中。弗洛伊德认为梦不会是没有来由的，反而是一个掩盖、重新包装的过程，因为会怕，所以掩盖、所以重新包装。而越令人害怕的东西，往往跟生命关系越密切。

我们对于未知的、害怕的东西会有两种态度，一种是转身逃跑，一种是面对它，问它：你到底是什么？西方启蒙运动就是选择用后者的态度面对。

我记得小时候经过庙口前的巷子都很害怕，那是一条很窄的巷子，两边都没有窗户，也很少有人经过，我每次走都觉得很毛，好像走不完似的，而且总觉得后面有个鬼影子在追我，我只能不断地逃，回到家时总是被吓出一身汗，心跳如雷。有一天，我忽然决定，不跑了，我要回头看，然后发现什么都没有。

人类的文明也会有这样的一刻，决定站住，回过头去检视古老幻想里的集体潜意识。这个过程可能是痛苦的，要和自己挣扎，万一回过头就毁灭了，怎么办？西方从启蒙运动到弗洛伊德，就是一个连续性的对文化不逃避的态度，因为面对了，这些底层的东西才能被整理出来。

神话的无限领域

今日我们要解析神话，会遭遇到一个问题：文字。因为文字本身会死亡，很多神话经典都是在一个不断被改写的过程中，而改写的过程不可避免地就会沾带了改写者的语言系统。例如我们现在读的佛经，大概是南朝到唐朝的这一段时间所翻译的，用的是一千多年前的文字。当我说我在读这么古老的文字时，西方人听到都会昏倒，《圣经》译为英文也不过是几百年的事。对于现代人而言，若是古文的训练不够深，就没办法进入经典的世界。所以我曾听朋友说，他们读佛经是读英文版，因为他们觉得读英文佛经比读中文容易懂，听起来不合逻辑对不对？怎么一个在台湾长大的人，读英文佛经比中文容易懂呢？

很简单，因为翻译成英文的是白话，英语的白话，里面不会添加中国历朝历代的神秘性，它只是翻译成最简单的意思，没有复杂的成分。但是中文的佛经，因为是古老的文字，所以文字本身就会神秘化，让人看不懂，就具备了神性。我们注意一下，道士画的符也是文字，但因为我们看不懂，所以觉得神秘。古代皇帝的诏书常常要用篆字写，也是要让人看不懂，还有像皇帝去祭天的玉板上的文字，大概都是篆字隶书，不是楷书，因为要用古老的文字，这样神才看得懂，因为神是古老的。

我要说的是，文字本身也有个神话化的过程，但这里面是有矛盾的，就是既想要改写成白话让人看得懂，又想要保留文字的神秘性。胡适在白话文运动中想要把文字的神话性打破，可是却不可能彻底，我举个最简单的例子，参加中国人的葬礼时，司仪念的奠文，没有几个人听得懂，这么慎重的一个追悼仪式，怎么会听不懂？他到底是在崇拜他、感谢他、怀念他，你都不知道，你参加仪式做什么？

这里面就是有一种矛盾，当文学的某部分仪式化之后，文学就死亡了，可是文学又需要借由仪式复活，仪式会使文学性重新再生。

神话另一种改写，是拿来当做灵感再创作，如鲁迅改写嫦娥奔月和后羿射日的故事，他不是在翻译，也不是理性分析民族潜意识，而是以一个创作者的角度，将神话再创作为一篇小说。有一段时间我也在做这样的工作，改写了很多神话，如佛经中割肉喂鹰、舍身饲虎的故事，后来我发现，当我在讲中国美术史时，让学生读改写后的佛经故事，他们会觉得很有趣，要他们去读经太难了，但经过白话改写后，好像变成一个更美丽的故事，对他们要了解敦煌壁画来讲，有很大的帮助。

我自己很着迷于神话，因为神话好像雪球，会越滚越大，你怎么去解析，都解析不完，它好像还会跑，会往前跑，最后还会变成一个科学和幻想的竞争，科学要去解析幻想，但科学越强，幻想越多，幻想越多又越想去解析，好像是人类两种基因的一个竞争过程。

所以我非常希望年轻的一代多读神话，教科书里也多点神话，因为神话有一个无限领域，同时可以满足幻想的创造力与科学的创造力，所以小孩读神话，他将来可能变成科学家，也可能变成文艺家，两种都有可能。

人生是一座桥梁，重要的不是目的和结局，
而是过程。这就是为什么我们需要文学。

第Ⅶ讲

文学力

观察每个人随身携带的包包，是很有意思的事。

我曾经想写一篇小说，关于一个人遗失了包包，被另外一个人捡到。捡到包包的人，不认识包包的主人，可是他从包包里面的东西，如信用卡、一点点钱，还有一张写在纸上零乱的字，可能还有一些电话号码，他看到了人生的线索。

有时候我看自己的包包会吓一跳：怎么东西这么多！像夏天时我会抽空去游泳，包包里还会随时放着泳裤、蛙镜这些东西。你会感觉到，现代人的生活空间就像包包一样，越来越复杂，拥塞着很多用得到、用不到的东西。包包的原始设计是一格一格的，可以很清楚、有秩序地分类，可是使用到最后，所有的东西还是都混在一起了。

我们好像也没有什么机会和时间去整理包包，就像我面对凌乱的书房时，会想到以前每隔一阵子就会找时间整理，现在时间少了。当生活变得匆忙时，整理东西好像是最不重要的事情。可是当我们真的着手整理，或是把包包里的东西都倒出来时，会发现很多东西是不需要带来带去的。

人大概到最后才会懂得，重要的不是“要什么”，而是“不要什么”。

当我在脑海里发展这一篇小说时，又想到如果我是一个小偷，进入一个陌生人的房间，我应该会呆住吧，我想偷的不见得是金钱，可能是想借书桌上的书、架上的CD，并且开始去想住在房子里的是什么样的人。

我的生命里，最大的好奇就是去发掘一个新领域里的生命痕迹。就像在公交车上，看到一个人的脸，从他的脸上可以找到今天跟谁吵过架、发生过什么事的线索。这是生命的痕迹，会留在人的脸上、身上，背的包包里、所处的空间里。甚至是他口袋里的一只小皮夹，都有可能藏着一些东西。我曾经在游泳池的更衣间，捡到一只皮夹，打开一看，发现里面只有学生证。应该是属于一个学生的吧，在我把皮夹交给管理员之前，我翻了翻皮夹，那种感觉非常奇妙。

这应该就是文学的开启吧，我忽然觉得这个世界上，大概没有一个生命和另一个生命是绝对没有关系的。

这也让我想起一部电影《双面薇诺妮卡》（*The Double Life of Véronique*），导演基耶斯洛夫斯基（Krzysztof Kieslowski, 1941—1996）最大的兴趣就是在寻找线索，所以他让两个不同领域的女孩，一个在波兰，一个在法国，在冥冥之中借着电话里的声音，开始交流。

那是非常奇特的感觉。就像看到有人把包包打开，把东西一一拿出来的时候，我愣在那边，仿佛是一幅电影画面，或者就是我的小说想要描述的场景。我的眼睛忽然从一架无意识、无情感的摄影机，变得有情、有感觉，我看见这些东西与人的生命有着密切的关联。

文学的眼睛就是如此。就像我刚刚说的，小偷潜进房间是要偷东西，作家进入一个空间，也是要偷东西，只是偷的东西不同，他要偷的是一些人生的线索和迹象。

我用“偷”而不用“了解”，因为我认为人跟人之间没有了解，只有好奇。

即使亲如丈夫、妻子、母女、母子，一个二十四小时和你生活在一起的人，当他打开包包时，你也会觉得陌生，你会发现原来有一部分的他，是你完全不知道的。我想，人跟人的相处是不可解的，每个人都是在了解与陌生之间游离，不可能有绝对的看破。

当有人说“这是我的丈夫，所以我很了解他”时，她说的是一个假设。譬如我的母亲，我会预设我是非常了解她的，可是当有一天，我坐在八十几岁的母亲面前，有一刹那的感觉是，我好像不认识这个人。

父亲过世后，我一直想写他。但我不能把他当做父亲写，否则只会写出“爸爸你走了，我很难过”之类八股而不会动人的东西。我要先否定我对他的了解，让他变成一个陌生人，因为陌生，我能进入很多事件中，去想这个男人真正在心里想什么？他跟母亲相爱吗？他这一生中有没有什么愿望没有完成？

如此一来，文学才有发芽的空间。

人生真相与假象

文学其实是一种疏离。你在镜子里看自己的时候，若能够疏离，就能产生文学。但通常我们无法疏离，我们很容易投射，很容易陶醉，很容易一厢情愿，所以会看到很多的“假象”，也就是《金刚经》里面讲的，我们一直在观看假象，观看一些梦幻泡影。

许多我们自以为了解的事物都可能是假象。譬如说“父亲”，他可能就是一种假设，什么叫做父亲？要如何去定义？是血缘还是基因，或是一种角色？父亲同时是一个男人，这个男人是不是也符合我们的假设？这些问题很复杂，往往超过我们的理解。

我记得小时候，一到母亲节，就要写一篇作文歌颂母爱。这些文章，现在读起来觉得很空洞。我猜想，如果班上有一个人是被母亲虐待的（我们的确在新闻事件里看到亲生母亲虐待子女），他会在作文里写出事实或者依旧歌颂母爱吗?

他极有可能会用“假象”取代“真相”，因为我们对于假象已经习以为常。

当我们破除一些对于人生的假设，有了悟性地看破时，就可以不带成见地去看一切事物，这才是文学的开始。如果心存假设，例如丈夫看到妻子把包包里的东西倒出来，开始唠叨：“你怎么买那么多东西，怎么放得这么乱？”文学恐怕无处着根了。

所以我说文学是一种疏离，保持旁观者的冷静，去观看一切与你有关或无关的事。

但并不容易，有时候我们甚至会觉得假象比真相更真实。

小时候我常听到母亲说，台湾的水果难吃死了，西安那个水果多大多甜。等我真正到西安，买了西安的水果，那滋味比台湾的水果差太多了。我的母亲在台湾居住了几十年，但因为乡愁，让她把故乡的水果幻想成不可替代的，最后假象就变成了真相。

我常在想，要不要告诉母亲，西安的水果其实很差很差呢？这就是一个文学家要面临的问题，他在文学与人性之间游离，好像有点残酷，但绝对不是冷酷，他是在极热和极冷之间。

我常引用《红楼梦》里的一句话形容："假作真时真亦假"。把假变成真，是一种文学，把真变成假，也是一种文学 ——就是在游离，不属于任何一者。

《红楼梦》之所以成为最伟大的一部小说，因为作者很清楚地游离在真与假之间。有的时候他就是贾宝玉，有时候他不是，有时候他比别人更残酷地看待贾宝玉这个角色。他是在游离，所以成就最了不起的文学。

那么文学的终极关怀到底是什么？我觉得就是人生真相与假象反复地呈现。文学和哲学不一样，哲学是寻找真相，可以一路残酷下去，可是文学常常会有不忍；它不忍时就会"假作真"，它残酷时就会"真亦假"，然后让人恍然大悟。

我母亲因为离开家乡太久，所以把情感寄托在家乡的水果上。她常说西安的石榴多好多好，她说的不是石榴，是她失去的青春岁月，是她再也见不到的母亲与故乡。所以石榴的象征意境越来越大，越来越甜，越来越不可替代；而她每一次在异乡吃到的水果，都变成憎恨的对象。

每一个人身上都有一颗不可替代的石榴吧。我常常问自己：身上背负的石榴是什么？我也会害怕，当幻想越来越美好，越来越大时，有一天我就没有办法面对真相了。

文学与哲学

小学的作文课上常常会写母亲、写父亲，我常会想，这个题目是不是太难了？最深的感情最不容易提笔。朱自清写《背影》的时候，也是在他自己已经非常成熟的状态，所以可以处理亲情中很多复杂的、纠缠的东西。

人生就像是一本永远阅读不完的书，每一次觉得懂了，又会出现一个新的、不懂的东西。我相信今天孩子要写父亲、写母亲，或是妻子写丈夫、丈夫写妻子，都非常困难，因为里面纠缠着太多太深的人性。

我常觉得读《金刚经》是为了帮助我去看另一部人生的《金刚经》，也就是人生的本相。我会开始去想，为什么说人生如梦幻泡影，如露亦如电。这些话在大学的时候以为读懂了，其实是假的；今天当你真正看到一个人在你面前消失不见，那种梦幻性、泡影性才显现，或者当你抓着父亲的手想把体温给他却无能为力的时候，“如梦幻泡影，如露亦如电”这句话才发生意义。

文学会把真变成假，就是在面对现实的艰难、痛苦时开始幻想。幻想是自我治疗的方法，在心理学上，幻想也是一种很有趣的机制，可以让人暂时脱离现实的灾难。当然幻想到某一种程度会变成病态，而文学就是在试探，好像走钢索的人，每一步都是在真与假之间摆荡，不断地寻找平衡点。

我母亲到八十几岁时，很想回西安，所有的兄弟姊妹都不敢带她回去，担心她半世纪来所建构对故乡完美的幻想，会完全破灭，我们不晓得怎么去承担这个破灭。其实在两岸开放以后，很多人回去大陆的家乡，都带着破灭感回来，他们都忘了故乡从来没有过他们描述的美好，是这五十多年来他们自己幻想附加上去的。

就像今天我也会回想起在巴黎那一段岁月，二十几岁的我，像黄金一样灿烂。但实际上，我在那里的日子也可能是忧郁的，或者艰难的，那个“灿烂”的印象很可能是假象。然而，二十几岁的青春，本来就该用一生去幻想、去累积，这里面就会产生微妙的文学，又近又远，又真又假，又拥抱又推拒，这种对于青春的双重态度，是非常文学性的。

我一直提到文学和哲学是两种不同的东西，哲学会帮助文学，因为哲学有一个责任，要为真相做最后的检查，在真与假之间做了很多探讨，所以有哲学的文学是很好的文学。《红楼梦》就是一个例子，它里面有很强的哲学性，譬如说探讨佛教的部分，也有老庄思想、儒家思想，虽然有很强的哲学性，但它毕竟不是哲学，为什么呢？因为我们读《红楼梦》，关心的不是哲学。

当然哲学里面也可能有文学，譬如《庄子》用了很多文学的手法，但他基本上还是直接面对真相，即使用了寓言，还是在指涉真相，他关心的是最后的答案。这个答案会对你之后的行为产生影响，譬如读完佛经以后，你的生命还是贪婪、执着，那就不是哲学的目的了。禅宗最后为什么会出来？就是觉得人们读佛经教义却不能落实在行为中，所以它才会以当头棒喝的方式，提醒人们回到自己的生命里，管好脚跟下的大石，可能比读几部佛经还要重要。这里面就是哲学。

哲学是答案，是行为，是人的完成。文学不是，我甚至觉得文学有一点点纵容，它允许假象的存在。所以你读《红楼梦》，觉得真真假假，扑朔迷离，贾宝玉最后出家了吗？我觉得不是重点，后面是高鹗补的，事实上贾宝玉一直在出家跟非出家中游离。如果这部书的目的是要说人生繁华都是虚幻，最后贾宝玉出家，绝对不是文学了。

这部作品之所以迷人，之所以被当做文学，是作者巨细靡遗地描写当时吃什么菜，衣服多么美丽，王熙凤出场时多么的风华绝代……绝对没有看空，如果看空，哪里会出现这样的描述？如果曹雪芹是一个哲学家，他写出来的东西会很少、很简单，他只要点醒你：繁华就是空幻。可是他不是哲学家，他是一个文学家，所以他用了这么多的方法去经营他的记忆，而且我相信事实经过记忆以后变得更美了。贾宝玉因为曾经过着繁华的日子，以致抄家衰落之后，逝去的繁华变成了我母亲幻想中的石榴，特别甜，特别美。

《红楼梦》其实是有一种“耽溺”，耽溺在假象中，却又会突然醒来，告诉自己说：那是假的，那都是空的。这就是我说的游离，在“假作真”“真亦假”之间徘徊不定。

这么说吧，如果你关心的是结局，是答案，是目的，你就读哲学；但如果你觉得人生的过程可能比答案还要迷人，你就要读文学。

其实哲学家尼采也说过，人生是一座桥梁，重要的不是目的和结局，而是过程。这就是为什么我们需要文学。

当然，哲学是一种本质关怀，文学里一定会有哲学的成分，大概没有一本文学完全没有哲学的吧！《水浒传》有《水浒传》的哲学、《三国演义》有《三国演义》的哲学、《西厢记》有《西厢记》的哲学，每一部书最后都有对于本质的关怀，可是这个本质会被包装在人生的现象里，而不是一个直接的答案，或是口号、教条。

我们读《红楼梦》是不知不觉被“繁华空幻”这个哲学本质影响，就像鲁迅的形容“悲凉之雾，遍被华林”，这才是文学式的哲学。用一个让你感同身受的场景，经验从繁华到幻灭的种种现象。

把“假作真”与“真亦假”的部分，糅合在一起，才会变成一篇很动人的文章。所以我相信，一个人在某一个阶段写母爱、父爱会很感人，因为他会写出介于真相与假象之间的创作。譬如当他在繁忙工作中，无法照顾母亲，把母亲送去养老院，他对母亲有非常多的愧疚，虽然他真的很爱母亲。这时候他的眷恋与愧疚，让他想把母亲接回奉养又做不到时，他就能好好写一篇文章了，而且写出来的东西会是感人的，因为不是全部假，也不是全部真。

文学呈现人生的各个面向

至于童年时写的作文题目，其实对一个人有蛮大的影响。我们说，文学最早期是童话、是神话，是对于未知世界的幻想。童话与神话在某一个年龄层是非常文学的，可是到了另一个阶段，就需要做形式的练习，开始进入理性思考，此时期的文字是可以像游戏一样，去玩排比、对仗和音韵声调的变化，就像《红楼梦》里十三四岁的贾宝玉、林黛玉，他们会练习作诗、练习造句。

过去我会觉得文学不要去碰形式问题，形式不过是堆砌辞藻，但现在我会建议孩子在中学阶段要多做形式的练习，因为他需要熟悉词类、词性、词汇以便将来表达自己。在这个年龄，他虽然没有办法看破人生的假象与真相，但他已经急切地想要表达他的人生，所以会有冲突，一个好的老师应该是要冷静地把他带领到一个空间，试图让他把情感放在一个理性思维的过程中，也就是让他专注于格律之美。

当他把注意力转移到形式、格律时，他也较能够面对这个阶段混乱的情欲问题，稳定下来。

我相信李商隐绝对也是情欲很复杂的人，当他写出“春蚕到死丝方尽，蜡炬成灰泪始干”，就是转换到形式思考，因而与自己有一种疏离。我的意思是，他当然是在写自己，却以春蚕、蜡烛来转移，减低了与自己的缠绵性和痛苦性，又使文字有了情感。

文学与人生其实是一环扣一环的问题。文学呈现了人生的各个面向，就好像我们打开包包，里面是非常没有秩序、百物杂陈的状况，要从中理出头绪，真的不容易；最伟大的小说可能就是一个不归类、没有秩序的状况，《红楼梦》即是如此，像一个百宝箱，什么东西都有，什么东西都不归类，忠实地反映人生繁复杂乱的各种现象。

有助于生命态度的建立

一个好的作家，就像陀思妥耶夫斯基说的，即使对自己小说里最卑微的角色也不可以有一点轻视之心。我常常希望把这种写小说的态度转移到生活当中。没有任何一个生命是应该轻视的。

我相信，文学有助于建立这种对生命的态度。譬如巴尔扎克写《高老头》，这么一个冥顽不灵的、吝啬的人，如果是你在生活中遇到，简直不想跟他讲一句话。可是当我们看小说时，了解了这个老头子一生对物质悭吝的原因，就会觉得感动。

如果你住的公寓里面也有一个小气的高老头，大家说楼梯间的灯坏了，每户都要出钱修理，他就是会想办法不出，让你觉得非常讨厌。在看过《高老头》这本小说后，你可能就会改变你的态度，你不会只是恨他，你会想要观察他，想要了解他的背景，他是怎么样长大的，为什么他对物质会有这样的态度，这时候你就开始有了一个“文学书写式的宽容”。并不是说你在现实生活里一定会接纳他，但至少有了一个东西可以让你去转换观察的角度。

如果没有文学，我们总是站在自己的角度，用喜欢或不喜欢去判断一个人，有了文学之后，我们会化身了，会从别人的角度去重新思量。

我始终觉得文学是我的救赎，我相信在这个世界上一定有人讨厌蒋勋，可是他会透过文学原谅跟宽容，他会知道每个人都有自己的结，跟他不能过的关，文学在这个时候就是帮助他转换看事情的角度。

特别是描写深层人性的文学。我们只要仔细看每一部文学作品，里面都会有一个不被了解的人，需要社会的宽容。譬如加缪的《异乡人》，在现实生活中他可能是社会新闻版上一个不堪的事件，把妈妈放在养老院，不闻不问，死了也不哭，甚至连领带都不好好去借一条。在为妈妈守灵那天还抽烟，葬礼一结束，就回去跟女朋友上床做爱，然后带着女朋友去玩，最后又枪杀了一个阿拉伯人。这样的人你大概会觉得他一生都一无是处吧。可是小说家的书写，是让他在被判死刑，走上刑场的那一刹那，抬头看见天际慢慢引退的星空，那一段的描写美得不得了，你会忽然发现连这样一个十恶不赦的生命，都被宇宙宽容了。

我想文学了解天地之心，天无所不覆，地无所不载。我们没有办法决定任何一个生命是不是应该存在，也没有权利让他消失。

文学就是让人透过文字产生切身之痛，即使是在不理解的状况下，都可以暂时让一个生命存留，不会消失。

让作家安心创作的环境

我常常觉得台湾社会变动得很快。变动，一方面使社会充满活力，一方面也失去了传统和历史感。很多东西好像都在烟消云散的过程中，例如文学。

过去我们有过《笔汇》，有过《蓝星》，有过《文季》，有过《现代文学》，可是曾几何时，这些伴随着我走过青少年、中学、大学这一段长路的文学杂志，全部都消失了。而在法国，我在二十世纪七十年代去读书时看到的 *Le Magazine Littéraire*（《文学杂志》），一直到现在还是存在，我每次回法国都会去买一本刚出版的 *Le Magazine Littéraire* 来看。日本的《文艺春秋》、《新潮》，也都是经过一个世纪后仍然维持下来了。

我这几年的感慨特别多，台湾好像有什么东西是留不住的，作为一个单纯喜爱文学的人，我多么渴望年轻时候的文学杂志还在，多想听听当初那些写稿的作者们，直到今日都在为杂志努力的过程。它会有一个延续，就像接力赛跑，一代传给一代。

譬如说我还保留早期的《现代文学》杂志，就是以台大外文系为基地的那个时期，我看到了白先勇最早的短篇小说《寂寞的十七岁》，看到王文兴的《命运的迹线》、陈映真的《将军族》、欧阳子的《半个微笑》，以及陈若曦的《最后夜戏》，那个时候他们都才大三，现在都年过六十岁了，我就会有一种感触，如果这个杂志今天还在的话，感觉绝对不一样。

如果把这些已经慢慢要进入文学经典的人物，重新聚在一起，谈谈《现代文学》从创办到现在的快乐，会是很有趣的吧！

可惜，这本杂志已经不在了。现在王文兴、白先勇等人偶尔聚在一起时，也会谈当年创办《现代文学》的事，可是里面有一种悲哀，因为杂志后来就停刊了。假设这个杂志还在，对后来的文学作家或喜欢文学的人，将会有很大的鼓励。

岂止是《现代文学》杂志，曾经伴随着我成长的那些文学杂志全部都不在了。书店里纯文学的刊物也愈来愈少。

我会发现，台湾的文学好像只是集中在年轻时的热情，所以尉天骢办《笔汇》月刊是在读大学的时候，白先勇办《现代文学》也是在大学时候，我们的文学热情一直停在大学，大学之后，这股热情就没有办法持续了。这不是一个好现象，如果所有的创造力都只能在年轻的时候表达，一进入社会之后就开始老化，是会有麻烦的。

曾经有一些机构办了台湾文学经典的选拔，这样的活动是好的，虽然文学是很难评选，可是活动的创意部分很有趣。最后评选出十本书，包括白先勇的《台北人》、陈映真的《将军族》、七等生的《我爱黑眼珠》、王文兴的《家变》。我看了以后，觉得很害怕。为什么？因为这些现在被定为经典文学的书，全部都是他们在二十几岁时写的。

世界文坛上，许多经典作品都是在作家四十岁、五十岁之后写成的，譬如福楼拜、托尔斯泰，让我们看到的最好的作品，都是在他们的人生历练丰富了、成熟了之后所写成的。像《红楼梦》一样炉火纯青的作品，也不能光靠年轻时的创造力，需要到中年以后才够厚实。

文学没有后续，会使人害怕，而这不单是作家的问题，有很多环节需要检讨。我的观察是，作家离开大学以后，创造的假期就结束了。我称它为“创造的假期”，是因为我们看到后来这些人必须为生活而奔波，已经无暇提笔。我们根本没有给作者一个专业的环境让他们能安心创作。

可是，关于这个问题，我自己也不知道该怎么办。我在担任“国家文艺基金会”第二届董事时，要评审专业创作的补助，名额非常少，一年只有两名。当时我就提出：“选出两名的意思，是不是觉得两千多万人口中，只要有两个创作者就够了？”

我也在应邀担任“台北文学奖文学年金”的评审时，提出同样的问题。当时奖助名额只有一名。我说，“文学年金”的意思应该就像“老人年金”，只要是一个专业的作者，为这个社会努力创作，不管写得好不好，都应该得到政府的补助、鼓励，表示社会需要专业作者。老人年金是年龄、条件符合即可以领，为什么文学年金只有一名？意思是老人很多，但作者只要一个就够了吗？

当然，我知道提出这样的质疑，不可能真的就让名额从一变成一百，可是这是我想要改革的观念。后来，当年度的名额增加了一名，最后得奖的是一位在花东发展海洋文学的作家，一位是泰雅族作家。但台湾需要发展的岂止是海洋文学、客家文学、闽南文学，甚至年轻族群的文学经验，都应该要有文学年金的补助。我想，这个观念是需要慢慢开拓的。

这也是我后来会担任“联合文学”社长职务的原因。一开始他们找我时，我拒绝了，我觉得压力好大，我不要扮演这个角色。后来我又觉得，从幼年开始，我心目中最憧憬的理想就是文学。在人生半百之后，回顾生命好多个关头，陪伴我度过，安慰我、鼓励我的也是文学。即使是到现在，能让我愿意坐下来，泡杯茶或者倒杯酒，和一个人侃侃而谈的，大部分还是文学。文学，对我而言，是一个梦。所以如果我的名字对一个为文学努力的机构是有用的，我为什么不答应呢？

文学没有死亡

我总觉得，台湾很难稳定下来，可能因为太年轻，太容易改换了。

一年前，我在南京东路吃到一家小店的肉圆，很好吃，一年后再去，它变成计算机店，而且是同一个老板；或者，原来开服装店的老板突然跑去卖蛋挞了。变化之大，常常让我觉得不可思议。一方面固然是展现台湾人的生命力、学习力，另一方面也显示出，台湾缺乏以时间酝酿的专业度与精致度。所以这几年来，我会特别敬佩一些在某个特定领域有持续力的人，譬如云门舞集的林怀民先生。

一九九七年《岛屿独白》在联合文学出版时，我们在诚品书店办了一场发布会，当时我说："很多人认为台湾的文学正慢慢地没落死亡，可是今天在现场有这么多人，我就知道文学没有死亡，文学的族群还在，文学只要倚靠一个符号就会重新聚集。这个符号不能缺，缺了就散了。"

这个符号是什么？不是我蒋勋，不是张宝琴（联合文学发行人），不是林怀民（云门舞集创办人），而是一个可以持续的机构，譬如联合文学，譬如云门舞集。它们稳稳地在那里存在着，让这些爱文学、爱舞蹈的人，不管是什么样的年龄，不管是什么样的职业，不管做了多久的逃兵，当他们想回来时，能有个归处。

像年轻时就崭露头角的作家七等生，曾经停笔了好几年，直到一九九六年后才又在《联合文学》发表了《思慕微微》，让大家都感受到作家出走又回来的那种快乐。

诗人的编务与诗作

在台湾的文坛还有一个现象，很多文学杂志、报纸副刊的编辑都是诗人。《中国时报·人间副刊》的杨泽，《联合报·副刊》前后任的主任痖弦、陈义芝等，都是诗人。有一次我开玩笑说：奇怪，怎么这么多诗人都是当编辑，诗人除了当编辑还会做什么？

因为诗是非常纯粹的东西，大概诗人在年轻的时候，都有一种浪漫的、不食人间烟火的个性，才会去写诗。所以要诗人去做现实的工作，应该是非常困难。如果要食人间烟火，大概食的还是与编辑有关的工作吧。可是，我相信即使是当编辑，诗人还是有他的矛盾与冲突。有时候我跟诗人朋友谈起他们的编辑工作，我发现，每一分每一秒都有他的冲突和挣扎在里面，只是他们也会慢慢调整自己，让自己能够从烦琐的编辑事务中，整理出一颗空灵的心留给诗。

不管是办报或办杂志，都是很辛苦的。每一天、每一个月都要有成果呈现，当别人说：“啊，这一期编得很棒！”他来不及享受这句称赞的快乐，就要马上投入下一期了。如果又兼丛书主编，压力又更大了，约稿、编排、印刷、发行……你可以想见他们的生活是在一种被割裂的状态，能留给诗的时间是极有限的。

所以我当时建议这些诗人朋友，是不是该在办公室摆一张桌子，放砚台、毛笔，每天留三十分钟给自己，写一些毛笔字，写一些诗。这三十分钟内，什么事都不要想，就是回到很单纯的诗。

我不知道这可不可行，我是很心疼这些朋友的，因为我觉得他们在诗与现实当中要找回自己，是很难但也是很重要的事情。

这就让我想到，为什么我们的社会不能给这些诗人一个空间，让他们一辈子写诗呢？唐朝出了很多诗人，李白、杜甫、李商隐等人都在那样一个时代里，把写诗作为一生最高且能持续的理想，他们写诗不是只有在少年时，或是到某个年龄就中断，他们是一直写到老。这是社会环境的问题吧！如果环境没有诗的空间，没有意识到写诗是一种专业，诗人何以为继？

在欧洲、在中国大陆，名片上的职称是可以印“诗人”的，可是在台湾可能出版了好几本诗集，还没有自信说自己是“诗人”。

特别是在大陆，他们模仿欧洲订立国家评选制度，针对文艺创作者进行职称的认定。所以诗人有一级诗人、二级诗人，画家也有一级画家、二级画家，连演员都有。在台湾，我们没有这样的制度，也让我们的文艺创作者好像没有一个被认定的身份。

后来我听说身份证的职业栏已经可以登记诗人或是画家，问我要不要去改？其实是有点矛盾的，因为我是把它当做一个心灵的寄托，虽然事实上，它也是一种职业，可是当我想把它写进身份证上的职业栏时，我又会觉得害怕。

就像我第一次看到有人名片上写“诗人”时，吓了一跳，心想这个人好自傲，怎么敢称自己是诗人。我想到的诗人应该是李白、是杜甫、是波德莱尔（Charles Baudelaire, 1821-1867）。“诗人”听起来是很崇高的。

可是我再进一步去想，李白、波德莱尔，他们是在多少失败的诗人中成为最后的成功者，如果一个社会里面，没有这么多失败的诗人，就不会有这个成功的诗人。我的意思是说，如果台湾不承认有以写诗为专业的诗人，李白、波德莱尔永远也不会出现。唐朝有多少人写诗，若没有这些人前仆后继的创作，不会拱出一个李白站在金字塔的顶峰——金字塔的底部是很大的，没有底就不会有顶。

为什么这么多画家要往法国跑？因为法国每年拿国家补助的画家约有四万多人，画家在法国可以靠绘画活着。但如果是在台湾，他就必须培养另一种专业，做另一份工作或是去教书，才能让他安心作画。

当兰波在台湾

毕加索和常玉，他们曾经同时在法国，而他们都不是法国人。毕加索是西班牙人，法国的制度帮助他在很年轻时就成功了，开始卖画，有很好的收入。常玉是中国人，在当时是不成功的，他的画卖得不好，所以很穷。但他照样生活在巴黎，因为他的房租是政府付的。

潘玉良也是，她如果在中国，就必须到大学教书来养绘画；可是她在巴黎，不必做这件事，她有一个独立的身份，让她专心投入创作中。

其实台湾日本殖民时代的画家，如陈澄波、李梅树等人，都是独立画家，他们很少需要另外一份赖以维生的工作。即便是像“矿工画家”洪瑞麟，他去做矿工也是为了体会生活，在绘画这部分还是蛮独立的。可是到了大概二十世纪六七十年代以后，大部分画画的人都是在师大美术系或者是文化大学美术系工作，他必须用一个大学教职来养他的绘画，而且认为这是一个最好的方法。

可是，教职其实是会干扰创作的。所以台湾在某一段时间没有出现像陈澄波那么好的画家，他们被牺牲了。因为如果要做好一个美术老师，他要关心学生、教导学生，他本身的个性会被磨掉，他没办法率性、主观、独立地创作。他要开系务会议、要当学生的导师、要批改学生的作业，还要兼一些行政工作；这个过程中，画家独特的性格就被磨损掉了。

我自己是这样走过来的，所以我很清楚。在我辞掉大学讲师的职务后，作品的量变多了，作品的质也和以前完全不同。我在整理时都会吓一大跳，在拿掉教师的身份后，个性整个都解放开来，我终于回复真正的蒋勋、真正的自己，而不再是绑手绑脚的。

我相信不只是画家，诗人去当编辑、作家去当大学教授，都要面临同样的问题。如果我们希望台湾也能出现波德莱尔的话，他就不能是编辑，不能是大学教授。

我常常在想，台湾有没有可能出现一个像兰波（Jean Nicolas Arthur Rimbaud, 1854—1891）这样的诗人？他在十六岁时诗就写得这么好，被请到第一流的诗人面前去朗诵。可是，他的个性桀骜不驯，永远不穿你们的服装，永远不用你们的语言，甚至在十九岁时说他不要再写了，到处流浪。这么一个诗人在法国是受到尊重的，且变成文明史中不可或缺的部分，我真的很感动，这才是一个成熟的社会吧。连魏尔伦(Paul Verlaine, 1844-1896)这么一位弗朗西斯学术院的院士，都惊觉眼前这个小子把他们生命里的某一个东西释放出来，所以他们赞美他、歌颂他、鼓励他、保护他。

如果兰波是在台湾呢?

创造出独特的文体

在台湾最穷困、经济最坏的年代，我们都还有《笔汇》，有《文季》，有《现代文学》，那么在我们这么繁荣的时候，如果连一本文学杂志都没有的话，我想这个社会是让人觉得遗憾的。

而且文学有一个很大的好处，它会反映生活的面貌，它会让你看到事件正在发生，引导我们去思考，但又不会像哲学那么严肃。我记得有一期《联合文学》，发表了郁达夫、徐志摩和胡适三个人的情书，那一期很让我感动，这三封信选了三个我们很熟悉的文学界的人，三种不同处理爱情的态度，你可以看到郁达夫的忧郁，看到徐志摩热情到完全不顾现实，还有胡适的完全理性。

看到那一期，我真的觉得文学非常重要。当一个读者面临情爱的困境时，他虽然不会是三位作家中的任何一个人，可是他会因为这三封信开始思考，并调整自己，我想这就是文学的功能了。

文学的效果很难估量，它不是直接给人答案，而是给人多一点机会去思考。例如情爱的问题很严肃，但它却可以用三封信去表达。又譬如前面提到七等生的《思慕微微》，那是一种很个人的情欲描述，却会引起我们的思考，让我们反省，并尊重一个艺术家在自己的难关中，以诚实的铺叙去度过困境。

在一个图像逐渐取代文字的世界里，我会更希望留存一个文学的媒体。因为我觉得，文字的反省力远高过于图像。即使阅读人口越来越少，被电影、电视或者网络媒体瓜分了，但这个族群会变少，却不会消失。我们看日本和欧洲的发展就会知道，文字不会完全消失，在地下铁、在电车上，还是有很多人拿着书看。

文学反映社会是快速的、直接的，但文学与作者的关系，现在看来，却是逐渐在疏离中。比我们早三十年的作家，如白先勇、陈映真、黄春明、七等生等人，我们读他们的作品时，即使把名字盖掉，还是可以一眼就看出这是谁写的。《台北人》一看就是白先勇的文体，陈映真早期的《将军族》《我的弟弟康雄》更是让我百读不厌，而那个文字的结构，诸如很长的句子、副词子句加上繁复的形容词，就是陈映真的文体，而读七等生的文字，就是会进入一种超现实的、真假混合的虚拟世界中，非常迷人也非常令人困惑。至于黄春明那种混杂着泥土芳香的声音质感，更是独树一帜。我要说的是，他们真的有文体，所谓的风格（style），与写的主题无关，与写的内容无关，纯粹是文字被阅读时所产生的一种精神上的力量。

就像人的面貌，或者是声音的质感，那是文学让人着迷的特色。可是在现在的文学作品里，这种力量已经有一点被冲散了，我很难在下一代的作家身上看到所谓的“文体”，它变成有一点中性化了，把个人的独特性拉平了。

我不晓得什么原因，可能是作文教学太发达了吧。当做文有模板时，是不容许有独特性的，其实最没有文体的作品就是作文模板，那是一个四平八稳却毫无特色的东西，它可以让你通过考试，却不会让你有任何独特性。我常在想七等生的作品如果让作文老师批改的话，应该会觉得文法不通吧。我的意思是，文学创作常常是故意叛逆、违反作文文法的。我们在波德莱尔的句子里看不到文法，或者说他的诗是新文法。但这个新文法能被学校的语文老师接受吗？

学校老师教孩子作文，要语法正确、不能有错别字，可是好的作家也可能有错字，这个错字是他故意创造的，譬如萨特写了一本书 *Les Mots*（台湾翻译成《沙特的词语》，左岸文化出版），就字面翻译就是“字”的意思，他就解析说，波德莱尔用的很多字，从正规的文法来说是错的，可是在他的诗里面是好的，因为他会创造新的经验、新的 image。

我们的语文老师会了解吗？我自己在初中时，就常碰到这样的事，老师会帮我改错字、改你的文法，然后说：“你那么爱文学的人，连基础都弄不好，将来怎么创作文学？”可是那时候我已经读了很多经典作品，老师眼里的错字其实是我故意用的。

有一次我跟白先勇聊天，他就说他会用“年青”而不用“年轻”，他永远都不喜欢用轻重的“轻”，他很讨厌那个字。所以如果你仔细看的话，会发现他的作品里只有“年青”没有“年轻”，这就是他的风格，他的文体，你不能说他错了。所以我在这里特别要讲的是，后来的作者文体性有一点被抹杀了，很难形成独特的文体，也许是因为老师教得太好了。

文学是一种感染

这种中性化的现象非常明显。我和陈映真聊天得到一个比较一致的看法，就是文学青年起步与我们当初不一样，他们不是从阅读出发，而是从电影。他们是电影的族群，电影对他们的影响很大，这个世代是画面的，不是文字的。

譬如说，我在中学非常喜欢陀思妥耶夫斯基，我会一直读他的东西，一直画线，我的文字会受他的影响。陈映真则是通过英文、日文读很多外国的作品，所以他的文字也不是纯粹汉语的，而是有很多日文副词子句的结构。我想七等生也有，甚至雷骧，他的文字是带有日文气味的，我不知道为什么，可能是受那个年代翻译小说的影响。而白先勇是从《红楼梦》出发，所以他的文字是比较偏纯粹汉语系统，跟七等生、陈映真又有一点不同。

这些都是与阅读有关，阅读不同的素材，会得到不同的文字风格。可是，在图像媒体中，文字的特性不明显，阅读电影的这个时代，比较难在文字上形成所谓的风格。近代年轻作家中，让我觉得有文体的应该是邱妙津，在我第一次读她的《鳄鱼手记》时，我有一点吓住了，会问：这是谁啊？怎么会有文体。因为我长久以来没有感觉到文体这个东西了。

我这么说不代表年轻作家一定要靠阅读发展出文体，我觉得不需要。每一代的文学有自己的特征，就像《水浒传》绝对是反映那一个时代的说书习惯，那也不是从阅读出发，而是说故事，所以你看《水浒传》完全觉得是可以念出来的，它就是跟说唱文学有关。

今天小说很难说、很难念诵，因为它是视觉的、画面的状态，所有的心灵空间都是打碎的，他运用了很多蒙太奇的拼贴手法，从这一个画面，啪的跳到另一个画面。有时候你会抓不到它的重心跟主体，而这就是他们的特色。

不需要要求这一代的人去写以前的文体。譬如说白先勇很关心尹雪艳，他的主题就围绕着尹雪艳这个角色，但新一代作家在书写的过程里，很少关心人的角色，主角是模糊的，非常模糊的，是很多幻影在交错，与过去“主角”的概念非常不一样。

我相信文学是一种感染，在这个时代的氛围当中，他们彼此之间会有一种默契，譬如网络族群发展出网络文学，他们彼此会懂，可是我是一个不太上网的人，我读网络文学就好像闯进一个完全不了解的世界，就像爱丽丝到了一个不同的世界，她就惊讶住了，那个逻辑是不一样的。可是基本上，我不懂，但我完全尊重。就好像我回到三四千年前，在一个乌龟壳、牛骨头上刻字的时代，那个刻字的逻辑一定与现在计算机选字不一样，而这就会影响到整个人的思维。每一代、每一代都有不同的思维，每一代也一定都会有 LKK（即“老古董”之意），没有办法进入新的文学领域，我相信这是一个完全正常的现象。

我并不认为这样不好，我也相信在这一代的创作中一定会出现一个优秀者，建立自己的文体，而那个文体是什么，我目前还没有看到。因为社会是处在转型的过程中，这一世代的创作者还需要摸索一段时间。

在临终的时刻，怎么看待自己这一生爱的功课，会是一个圆满的分数，或者是不及格，甚至零分？

第Ⅷ讲

爱与情

几年前我有一次长途旅行，从台湾出发到西班牙的马德里时，阳光亮丽，再一路往北到毕尔堡，看到片片雪花飘下来，不一会儿松树枝叶上都结满了冰霜。然后我到了巴黎，看到巴黎冬日难得一见的温暖阳光，又从那边飞到温哥华、到洛杉矶，最后地球绕了一圈，我回到台湾。

人类的空间感是非常奇怪的东西。过去的人从西门町走路到北门，再从北门走到南门，就是台北市的范围了。可是对今日你问任何一个小学生，他都会觉得很近，他坐上公交车、地铁就可以到更远的地方。人类在整个工业革命之后，空间不断在扩大。不要讲别的，一直到我自己读完大学，要留学的时候，坐飞机还是一件大事，做这件事情之前要有长久的准备，上飞机前整个家族都来送机，还要拍团体照。可是这几年我都是一个人就走了，也没有人觉得这有什么了不起。

而在科技发达之后，空间感又开始改变了。我到洛杉矶时，碰到一个学生，他当时是做计算机网络系统的，他说网络 e-mail 系统建立了以后，洛杉矶跟台湾的距离只有两秒钟。

这套系统如今已经是家喻户晓，一般人几乎都会使用。可是对于那时候的我来说，我听不懂。信息的快速传播却是事实。我想，全世界的时间、空间都在同步化，以前我们觉得要到一个地方好远，得到一个消息要好久，现在不会了。现代人类的生活面貌，变化得非常大。我说变化，没有说好或不好，事实上这是一个矛盾的问题。有时候会让你觉得没有办法停下来，可是有时候你又觉得无法抵抗，你要退回到中央山脉的荒山里，不看电视不看报纸过生活吗？那其实没有任何意义。

最终你只能选择，选择你要什么，不要什么。譬如说手机，它可以让人随时找到你，传递讯息给你，可是相对的，你的生活也会越来越不自由，有更多的牵挂，更多的干扰，一个专属于自己反省、读书、沉思、安静下来的时间空间越来越少。

所以你必须选择，你觉得跟别人的沟通是不是必要的？什么时候是必要的？以及在什么时候必须回归自我本性？譬如说我有打坐的习惯，那段时间我不会接电话，或者就把电话拔掉。这就像古代禅宗公案里的问题，怎样回到本性？因为所有的科技毕竟不是人的本性，它只是眼耳鼻舌身，与外界沟通的管道，最后还是要回归到心的问题，如何定住你的心，是最重要的。

不过从另外的角度来说，很有趣的是，我们在宗教的修行里面会有内外之分，外层的干扰越大，本心修行的力量也会越来越强。过去的人外层干扰小，修行的考验相对较小，现代人考验更大了，他的外层世界是一整个地球，所以在这个时代，非物质事件的宗教、哲学、心灵上的修行，变成人们更需要的东西，需要的强度也越来越高。

我就常常碰到在计算机界、科技界工作的朋友，很认真地在读宗教、读哲学，对于过去认为是非科学的玄学系统，表现出极大的虔诚。就像爱因斯坦，他是二十世纪最伟大的科学家，事实上他也是非常虔诚的教徒，且非常喜欢巴赫的音乐。这就是说外在环境和内在心性这两个部分是一起在进步的，就是我们在修眼耳鼻舌身这些根器的同时，其实你内在的东西也必须进步，一起发展。

犹如船过水无痕

回到我自己的旅行经验。过去旅行前，我会好几天睡不着觉。小学的时候，只要一次远足，不过是从大龙峒走到圆通寺，就兴奋得不得了，所以每次去远足，大家就会问："你怎么搞的？眼睛都肿肿的。"我根本睡不着觉。就一直担心会忘了什么，要准备什么，那个心情是很乱的，因为期待太强了，欲望太强了，整个心都是处于被干扰的状态。

可是我这次旅行，晚上七点多的飞机，我三点钟还穿着拖鞋在家里。我的学生要送我去机场，他到我家一看，说："你一点都不像今天要走的样子。"

当我要去做一件事，那件事情是我已经习惯的，我就可以很从容，不是因为事情少而从容；我小学的时候，虽然要准备的东西很少，但好久才远足一次，我就不够从容，我的心很乱。可是现在我常常出行，我可以很从容地整理行李，从容地到机场 check in ，然后从容地登机。

在等待的时间里，过去我可能会慌慌忙忙去想很多事情，但是现在，一个小时就是一个小时，这个时间是我的，我就拿出稿子开始写小说，等到广播要登机了，我也不慌不忙，反正一定会有位子。然后大家都上飞机了，我把安全带绑好，再拿出小说继续写。大概飞到曼谷三个小时的时间，我已经写完了几千字。

在曼谷转机时，我就看看免税商场，看看世界各国往来的人，看看那些匆忙、拥挤、充满了期待欲望的脸，或者刚刚跟亲人告别哀伤的脸，或者等着要跟亲人见面喜悦的脸。很奇怪，这种心境的从容，会让你在这么多事物当中，变成一面安静的镜子，就是映照，就是不着痕迹；不会被忧伤的面容干扰，也不会被喜悦的面容干扰，就只是看到物象在过去。

我想人生大概也是这样，如果你对于人生前面的事情有了清楚的概念，甚至人生的终结也都很清楚了，就是“远离颠倒梦想”。

我们常常会有“颠倒梦想”。

记得我在阿姆斯特丹转机要去巴黎，中间有两个小时的休息时间，我就找了一个安静的角落，都没有人，位子是空的。我前面就是行人输送带，人站上去，就会把你送到另一头的设施。因为阿姆斯特丹机场很大，转机的人会搞不清楚，坐没一会儿，就看到一个头缠着布、从北非来的阿拉伯人，对着我大叫，因为他在输送带上下不来，只是对着我大叫：Frankfurt。我想，他是要转机去德国法兰克福，不知道要怎么转。但一时反应不过来，不知道怎么回他，只能看着他被输送带带走。

我又坐下来写小说，过了一会儿，又有一个阿拉伯人对着我大叫 Frankfurt。我赶快去找 Frankfurt 的牌子，然后告诉他是几号登机口，我不知道他听懂没有，又被输送带带走了。之后，又来了第三个阿拉伯人，又是 Frankfurt，我不知道那天怎么那么多北非的人要到 Frankfurt，可是那个时候，我忽然觉得有趣了。

这是一个和我无因无果的事件，我不知道他们从哪里来，也不知道他们要到哪里去，更不知道他们为什么要到那里。无因无果。

后来我把这段经历写进小说里，这个时候，我觉得我对无因无果的事物，只有一种带着从容与尊敬的观察，不是介入，因为心是静的，我没有介入那个因果当中。

如果是以前的我，可能就会开始着急了。我们在旅行当中遇到很多事件，都会选择介入，然后被牵连、被干扰，可是那次很奇怪，我只是站在那里看着。

我忽然懂了为什么《论语》说：五十而知天命。我已经过了这个年龄，真的觉得对眼前的事物有一种淡、有一种同情，这个同情跟以前的介入不同，是对人世间有一种“静观”的姿态。静观，所以不会因为外面的喜乐悲哀而喜乐悲哀，但又不是不关心，或者应该说是更大的关心。

对于同事、学生之间发生的事情亦是如此，我会安安静静地看着，就像一面镜子，过去会觉得愤怒的事情，现在只觉得好奇，为什么这个人会这样？他为什么会这样想？我不太愿意去判断，只是看着，隐隐觉得背后一定有很大的因跟果，是我们不知道的。如果不知道我们怎么介入？

莽撞的介入是一个新的因，与他人就会产生一个果，然后就会构成很多的业，生出许多烦恼。

所以我会让自己保持在一个谦卑的状态里，不介入这个因果中，只是看，以一种“船过水无痕”的心情。

在我们的文化里，有一个成语叫做“随遇而安”，就是你在不同的境遇当中去求一个“安”。这么想的话，每一日、每一分、每一秒其实都是在修行。

爱是人生的课题

爱，也是一种介入。

我相信，爱是人类最大的课题。所有的宗教、所有的哲学、所有的文学艺术，百分之九十的主题，都在谈论爱的问题。这么大的问题，几千年来被人类讨论，还是没有一个结论。

所以我们要探讨这个主题时，应该是要怀抱着谦卑的心情，不意图立刻下定论，这是一个要用一生去修行的课题。我不确定每一个人在最后都能圆满，我的意思是在临终的时刻，怎么看待自己这一生爱的功课，会是一个圆满的分数，或者是不及格，甚至零分？

基本上，我觉得爱有两个部分，是常常会混淆的。一部分是爱的本质，我们对爱有一种渴望跟需求，就像柏拉图所说，你为什么爱，因为你欠缺。《会饮篇》是柏拉图讨论爱最重要的一篇哲学作品，内容是讲很多人一起喝酒，有医生、有诗人、有喜剧家，当然也有哲学家苏格拉底。他们设定了一个主题，讨论爱，尤其是“爱欲”这个问题，每一个人都从不同的角度提出看法，最后由苏格拉底做总结。这里面我们就可以看到柏拉图提到关于“爱的本质”的问题。

另外一个部分，爱也可以变成一种形式或习惯。譬如传统中国父母会对女儿说：在家从父，出嫁从夫，夫死就要从子，叫做“三从”。对于一个女性来讲，她的爱是被这三者决定的，没有其他可能。今天我们在路上随便碰到一个女孩子，问她：“你觉得三从是对的吗？”她很可能是反对的，意思是说爱的形式、爱的表达方式，会随着时空改变。我们今天讲爱所引起的混乱，就是在这种形式上的混乱。

过去女人的爱那么简单，在家里反正就听爸爸的，结婚以后就听丈夫的，丈夫如果死了就听儿子的，这么简单的三从规则，就够用了。她从来不用去烦恼或忧伤自己的爱情如何释放，因为社会的礼教已经全部为她设定好了，甚至她根本没有机会去接触更多的异性。

但是现在，爱的形式改变了，整个社会伦理、外在的规则都跳出原来的框架。一个职业妇女每天都会接触到很多异性，她受到挑战与被牵连的机会变多了，就像我们前面所说的，外在的考验变多时，内在修行的需求度与难度都会提高。

在这样的情况下，对于这个问题的探讨，应该要用最诚恳的态度，去把所有的个案做最严肃的整理，没有任何嘲笑或者不好意思的问题，才可能在社会建立起新的伦理规则。

愿得一心人，白头不相离

关于爱的本质，可以确定的是：人是为了幸福而活的。人永远需要爱，需要付出爱，也需要得到爱，这是本质，可是在形式上，不同的社会法律、道德伦理，有不同的爱的形式。譬如前几年看到报纸登一则消息，一位阿拉伯公主因为自由恋爱就被爸爸处决。这件事如果发生在台湾，我们会觉得简直不可思议，太残暴了；可是对阿拉伯人而言，他们认为这样处理问题是对的。也就是说，阿拉伯公主自由恋爱从一个角度看，它是一个动人、伟大的爱情故事，可是从那个社会的角度看，它是不道德的。

这就是我要说的，爱的形式与道德、法律没有办法脱节。

爱不可能完全圣洁、完全单纯到脱离人类的法律、道德，一旦发生冲突时，你就只能选择。罗密欧与朱丽叶千古以来让人感动的原因，就是他们冲破了法律与道德，梁山伯与祝英台之所以让我们落泪，也是因为他们冲破了法律与道德。再提一个更有趣的例子：《白蛇传》，这是一则非常动人的爱情故事，因为主角是人与蛇，多么不可能在一起。这些故事就是企图保有爱情的纯粹性，可是这个纯粹性要存在现实之中，非常困难。罗密欧与朱丽叶怎么可以在一起？他们两家是仇人啊！梁山伯与祝英台怎么可以在一起？一个这么有钱，一个这么穷，有阶级问题啊！那白蛇和许仙又怎么可能在一起？一个是蛇一个是人。种种现实的声音都是要说服你，纯粹爱情的不可能性。

在这样的状况下，如果你还在坚持爱情至上，坚持爱的圣洁主义，你就要无怨无悔，不管遭遇任何困难，甚至是死亡。如果有怨有悔，从一开始你就要回到法律跟道德的规范里，一开始就不要背叛法律跟道德。

这完全是你的选择。

其实，每一段爱情，我们都应该回过头来问自己：我要扮演什么样的角色？

如果你选择一段轰轰烈烈的爱情，要震撼整个社会的道德跟法律，你应该要很清楚结局。如果不知道，糊里糊涂的，在遭到责备时才满怀怨悔，那我会觉得是这个人自己没有想清楚。

爱情有绝对的内在本质，也有客观的外在层面。内在的本质可以是一个最圣洁、最崇高的东西，但它的外在则受限于许多形式：法律、道德，包括所爱的对象都是外在的现象。所以当你个人选择无怨无悔时，可能碰到的最大难题，就是对方退缩、改变了。

西汉卓文君在第一任丈夫过世新寡期间，在一个非常哀伤的状态下，遇到了才华洋溢的司马相如。司马相如也非常喜欢卓文君，所以作了一首诗《凤求凰》，“以琴心挑之”，就是弹琴唱给她听，卓文君就被感动了。

在这里就有一个难题：爱可不可以被替代？历史上并没有记载卓文君的前夫是什么样的人，他是不是也爱着卓文君，或卓文君是不是也爱他？可是在这个时候，在她守丧期间，她却爱上了司马相如，甚至跟他私奔。那她不是背叛前夫了吗？

这里面是有矛盾的，不只是说她震撼了旧的社会伦理价值，跟一个男人私奔，同时也包括卓文君是不是相信有所谓永恒、不朽的爱情？如果她相信的话，那她自己本身就很矛盾，因为在她遇上司马相如之后，就背叛了与前夫的爱情。

后来司马相如也变心了，卓文君写了很有名的一首诗《白头吟》，说夫妻情分如沟水东西流时，她除了悲伤还是悲伤，但既然司马相如有二心，她也只好做个了断。其中一句“愿得一心人，白头不相离”，道尽古今中外男女对爱情的最大渴望。

而这种被遗弃的心情，在班婕妤的《怨歌行》中有更贴切的描写。她把自己比喻成秋天的扇子；夏天很热时，扇子不离手，但是到了秋天，不用扇子了，就把它丢在一旁，所以说“秋扇见捐”。我想我们社会里，不管女性男性都有过这样的忧伤。

在这个时候，我个人觉得应该要重新考虑自己爱情的圣洁性与崇高性，爱情的本体是在我，或是对象？如果是在我，那么在我的生命里面，爱情已经完成了，我所得到的欢悦、圆满的部分，都将随着我的一生永远不会褪色，至于结局是什么，我不太在意。

常常会有朋友或是学生来找我，诉说他们因为恋爱而哭泣、哀伤，觉得活不下去，我就会问他们：“你觉得你跟这个人在一起，曾经快乐过吗？”有时候他们生气到极点时，会说：“我从来没有快乐过。”我就会提醒他：“你是不是说谎了？你会不会没有注意到？因为你如果没有快乐过，现在就不会这么难过。”

我想，在很多时刻，我们需要被提醒，也要常常提醒自己，就是我所爱的这个人，他真的爱过我，对我善良，疼爱过我，难道要因为一些小失误，或者他离开我了，我就要开始憎恨他、报复他，让他从百分之百的好，变成百分之百的坏？

很多人会在爱情结束时产生憎恨，是因为他觉得爱情的誓言是永远不会改变的，谈恋爱时说的海枯石烂，就应该是要到海枯石烂才能变心，真的是这样吗？

我们回到古代的婚姻伦理，回到法律允许一个男人可以同时娶好几个妻子的时候，法律可以规定他要把爱平均分给不同的妻子吗？还是他也会有特别宠爱，特别不宠爱的？这就是说，爱的表达本来就是在一种习惯和形式当中。就像现在一夫一妻的制度被建立起来了，我们也习惯用这个制度去思考爱情，可是我们要知道，人永远不是制度。

千万不要觉得有一纸婚约就能保障爱情，只有爱情能保障爱情。

婚姻是法律，它可以保障一夫一妻制，如果有一方没有履行，另一方可以告他，可以要求他赔偿，法律可以判他有罪。可是你没办法以法律要挟另一方爱你。

婚姻与爱情不同，法律对爱情是无效的。可是我们常常把它们混淆了。

萨特和西蒙·波伏娃这两个法国哲学家是一生的伴侣，可是他们不要结婚，他们不要法律的那张纸。他们对自己的爱情很有信心，所以不需要婚姻那张纸来保护。

爱情选择常两难

谈论爱情这个主题，我常要很小心，因为我自己对于爱情有不同的角度和形式，也比较不会从世俗的层面去考虑，但我想大部分的读者，还是比较接受世俗的观念，譬如说到了某个年龄就要结婚，结婚是要昭告诸亲友，得到法律的保障，婚后双方都不可以有外遇，这就是爱情最圆满最顺利的结局。

我不是说这样不好，也不是要鼓励任何一个人去学习萨特和西蒙・波伏娃，事实上他们是在做一种实验，实验人性有没有可能不要靠法律的保障，靠人真正内在的吸引力去维持关系。譬如说两个人愿意住在一起，不是因为法律，也不是道德的约束，而是因为爱。

但他们的爱是很复杂的。因为这两个人都是法国社会里有名的哲学家，所以社交圈很广，他们各自有很多同性的、异性的朋友，当然也会碰到被其他人吸引的时候。譬如说萨特去美国开会时，就曾经碰到同样也是很有才华的人互相吸引，这时候他可能就忘了在家的西蒙・波伏娃。同样的，当萨特不在家的时候，西蒙・波伏娃也会因为召开文学会议，遇到吸引她的男人。

萨特和西蒙・波伏娃有个共同的约定，任何事情绝不隐瞒，所以如果真的发生了外遇，他们就会告诉对方。他们两个不断地在实验，如果听到对方外遇，会不会嫉妒？会不会很伤心？会不会愤怒？怎么样通过这些嫉妒、愤怒、伤心，然后更确定彼此的选择？

爱情的选择常常是两难的，爱谁多爱谁少，那个比重很轻微，我的意思是，不可能有全部爱或全部不爱这么绝对的事。如果不是两难就没什么好谈的了，如果我全部爱这个人或全部不爱这个人，结局很简单，大家都知道应该怎么做，又何必要吵架？

我们常常会看到一些绯闻案，一个男子身边有三个女性，或是一个女性周旋在两个男人之间，我想，他们之间都不是全爱或全部不爱的问题，也不是因为爱了这个人，就不爱那个人。爱情是很复杂的，里面有很多微妙的东西，连当事人都不容易搞清楚，只有从一个非常宽容的角度，你才能够了解到在这样的事件当中，每一个人是如何在努力调整自己，使自己进步，增加自己在对方心目中的比重。

萨特和西蒙·波伏娃都已经过世了，他们一直到老死都住在一起，所以被歌颂成为二十世纪伟大的爱情。可是我不知道，如果他们继续活下去，会不会发生某些意外？会不会遇到一个人，让他们决定放弃对方？

这种爱情的形式是让自己每一天都在面临挑战，当然很艰难，所以我不鼓励任何一个人去学他们，但同时我也要提醒，千万不要认为婚姻那一张纸就有用。

我常常在想一个问题，婚姻可不可能继续保有爱的持续性？因为我看到一些朋友本来很爱读书、很上进、很在意自己的形象，结了婚之后却开始发胖……我不知道该用什么字去形容，我的意思是婚姻好像让两个人开始自我放弃了。

我真的觉得，当你开始每天睡觉十二个小时，不上进、不读书，然后发胖、不在意自己的衣着时，你就是不爱对方了。因为你已经不在意自己是不是吸引对方，不怕对方觉得你是不好的。

我相信我可以跟一个人在一起二十年，他都是新鲜的、迷人的，而且我也会自然而然地觉得，在他面前我不可以太差，我不会让自己发胖，让自己讲话言不及义。我想如果因为跟一个人结婚而变得庸俗，或是对方变得庸俗，我真的会觉得厌烦。

我的意思是，千万不要让婚姻变成恋爱的句点，它应该是可以延续的。

很多人会说，好像古代的相亲比较好，因为结婚那天就是恋爱的开始，彼此是互相吸引的。而我们现在的恋爱形式，是恋爱谈到快腻了，就说结婚吧，然后就真的走进坟墓，把爱情葬送了，最后维系两人关系的常常是孩子。对于女性而言，至少孩子还有很大的吸引力，她可以把对孩子的爱取代了对丈夫的爱。可是那个男子就很寂寞了。有时候我会很同情这些男子，他们在不知不觉中被孩子替代了，而且女性对孩子的爱是很强的，有一些女性甚至是完全在孩子的爱里得到满足，根本不在意丈夫会不会回来。

给对方海阔天空的自由

爱情的问题真的很复杂，如果要下一个结论，我想，真正的爱是智慧。

一张法律见证、双方盖了章的婚约是一种限制，两个人一起发誓说海枯石烂也是一种限制，但是这两种限制都不是真正的限制，因为在现实中，有人背叛了婚约，有人背叛了誓言。真正能限制爱情的方法，就是彻底拿掉限制，让对方海阔天空，而你，相信自己本身就具有强大的吸引力量，你的爱，你的才华，你的宽容，都是让对方离不开的原因，甚至你故意让他出去，他都不想跑，这真的需要智慧。

我今天不只是在讲男性与女性的关系，父母对子女也是如此。我听到很多爸爸妈妈说："为什么我的孩子老是不回家？"我不敢告诉他，他的孩子常常打电话给我，要到我家来。我想在这里面是有问题的，他为什么不回家？因为他回家只会受到限制，他是不被了解、不能沟通的，他在家里感到痛苦，所以逃掉了。如果不能改善这个部分，让家对孩子产生吸引力，那他永远都不想回家。

我常常觉得，爱应该给对方海阔天空的自由，然后让他愿意回来、喜欢回来。你要把爱人当做鸽子，每天放他出去飞，等着他回来，绝对不是当做狗，在脖子上加项圈、加绳子，时时刻刻拉在手上，怕他跑掉。而爱情的本体是自己，自己永远不应该放弃自己，你要相信自己是美的、是智慧的、是上进的、是有道德的、是有包容力的。如此一来，别人会离开你吗？

不会的，赶都赶不走的。

爱的平衡

在一些关于爱情的抽象论述中，我们绝对不会反对"专情"这件事情，我们最常歌颂的也是专情，一种"专一"和"专心"，爱一个人至死不渝，当我们对一个人这么说的时候，当然就是一生一世的事情，甚至是生生世世，像“七世夫妻”的故事，海枯石烂，还要结来生缘的。

可是，所谓的“专一”、“专心”要如何解释？每个人在他不同的成长过程中，都会有不同的领悟吧。就像你在春天时，到阳明山上走一走，繁花盛开，你凝视着其中一朵，这一刻是不是专一、专心？而当下一刻，你的视线转移到天上飘浮的白云，这一刻又是不是专一、专心？

其实我们是在很多的分心的片段中专心的，每一个片段的刹那是专心，从一个片段到另一个片段，还是专心，我的意思是说，我们要界定“专心”、“分心”是很困难的。如果举的例子是花和白云，很多人都可以接受，但如果是一个女人和另一个女人呢？

很多事物在自然当中，我们可以把它讲得很美，就像老庄思想所描述的自然。但如果是人就不一样了。我常跟朋友聊，花在开，开得那么美，香气四溢，她的目的只有一个：招蜂引蝶。我们说，花努力地绽放出美丽的姿态，吸引昆虫来采蜜，完成花粉的交配，让生命可以扩大和延长，我们会觉得美极了，但其实就是一种生殖的行为。如果是一个女性或是男性，很努力地把自己弄得很美，去招蜂引蝶，我们却会觉得这是一件不好的事情，不美，而且不道德。至少当我们用“招蜂引蝶”这句成语来形容一个人的时候，就是带着贬义的。

把人的事情放到自然规则里去看，你会有一种更大的宽容。

我相信人在漫长的进化过程当中，虽然已经称自己是万物之灵了，但身上植物、动物的部分仍然还在，如果能常常把人的问题，推到老庄的世界、自然的世界，今天我爱的两个人，如果是杜鹃花或云的话，也许是一种转换的智慧吧。

我不知道这句话对于在爱情里失去平衡的人，有没有帮助？在现实中，哀伤很难忍得住，嫉妒很难平复下来，怒气很难克制，可是当你回到大自然、回到宇宙，回到更大的空间里，你会觉得爱情真的不是生命的唯一，在爱情最大的哀愁中，你还是要忍着眼泪坐公交车去上课、上班，你还是要工作，还是要面对生活中除了爱情之外，所有繁复的事情。

我不敢粗暴地说“你不能哀伤”，因为我知道为爱情哀伤是多么痛苦的事情，我只能说，你必须要度过这个哀伤，要在成长的过程中，学会让自己领悟:爱情不是生命的唯一,你要挟带着这个哀伤继续生活，并且更重要的，继续爱人。

一直停留在哀伤的时刻，是没有意义的事，当你能够度过这个哀伤，并从哀伤中领悟到一些事情，哀伤才有意义。

当然，很多人在哀伤的当下，会觉得我忍不住、我过不去；我要说的是，哀伤很难过，但一定会过、一定能过的。当你度过了之后，心境就会不同，再回过头看自己花很长时间度过的那个关卡时，就会觉得其实是钻在牛角尖里，只要能够跳出来，就没事了。

我也会建议，每个人生命里爱的支点要多一点。支点就是你所倚靠、你的爱赖以支撑的对象。在物理学当中，物体如果只有一个支点，是很不稳定的；就像一座高大的建筑物，地基要有很多支点支撑才能平衡、才会稳定。

世上我只爱你一人？

对我而言，生命的支点有我的父亲母亲、兄弟姊妹、我的朋友、我的爱人，还有路边擦肩而过的路人，就像我前面所提阿姆斯特丹机场那些对我叫“法兰克福”的北非人，他们也可以是我生命中的一部分。

我倚靠这些支点活着，或重或轻——我说或重或轻是指你不能把所有力量压在一个支点上，你自己会受不了，对方也会受不了。我们常听到：“我在这个世界上只爱你一个人。”这是一句美丽的话，也是一句可怕的话。我现在很怕听到这句话，我想到的是：多么可怕！

一直停留在哀伤的时刻，
是没有意义的事，
当你能够度过这个哀伤，
并从哀伤中领悟到一些事情，
哀伤才有意义。

我要负担这么大的责任，他好像二十四小时要盯着我，我不能再有其他生活了。

这样的爱在年少时期，或许可以存在，因为那时候我们对爱情还有很多狂妄的想象，可是当你成熟之后，就会知道这种爱是危险的，是会压碎一个人的，当三千宠爱只集于一身的时候，最后一定是个巨大的悲剧。

我宁愿爱是可以平均分摊的，爱我的人，他同时也有亲情的爱、友情的爱、同事的爱，以及在生活当中还有其他能吸引他的爱的事物，我会很感谢这些人、这些事帮我分摊了他的爱，没有全部压在我身上，让我喘不过气来。同样的，我的爱也有很多的支点，不会只放在一个人身上，而这些分摊的爱，并不会减损爱情的纯度，反而是一种增加。

因为爱是一种巨大的牵连。就像佛家说的“因缘”，同船过河都要五百年修来，那是何等的爱，我们对待任何一个擦身而过的人，怎能没有爱呢？

用这样一个角度去看待爱情，我想，就可以避免一厢情愿的偏执，要求爱就只能是一个人，就是那个人。

但这样的领悟是需要很长时间的学习，大概要经历很多次“我一定过不了”的难关之后，才会开始明白，爱应该是要放大、扩大，而不是把自己封闭起来。

其实在生活中我们可以看到非常多爱的形式，比如说我的学生里有一个女孩子，她漂亮、善良、大方，又没有结婚，像这样的女孩当然就有很多追求者，所以她的男友永远处在不安的状态中，好像自己的地位随时会被一个更优秀的男生取代。虽然这个女孩子很爱他，也常安慰他，但是这个男孩还是常来找我，告诉我他真的很担心。

我就问他，那么你愿不愿意选择去爱另一种女孩？她可能很笨、很丑、很怪，都没有人爱她，你就完全不需要担心了。他说：“不要。”

我想这就是我们常会遇到的爱的难题，当你给自己这样的选择题时，你就能做出判断了。

当然，我用美丑举例为爱情的条件，是没有意义的，因为世界上没有绝对的美，也没有绝对的丑。一个被人认为“很笨、很丑、很怪”的人，一定也有他美丽的地方，他自己要去发现，并且让别人发现，如果自己都没有办法发现，把优点都放弃了、糟蹋了，糟蹋到最后没有人去爱他时，那是他自己的问题。

所以我会说，爱的本质是一种智慧，尤其是年龄越长时。你在二十岁以前可以倚靠上天给予的青春、健康、年轻，这些不是你自己的，是上天给予的。而当你三十岁、四十岁、五十岁以后，你要如何保持自己的魅力？这就要靠智慧。

我认识很多朋友，他们年纪越长越有魅力，甚至有一个女性朋友到六十岁了，还是被宠爱着。所以绝对不要认为人的生命就是逐渐走向衰老，爱的机会也会逐渐减少，相反的，爱和智慧是随年龄一起在滋长的，爱也会因为智慧越来越饱满。

以暂时保管的心情面对爱

在历史上，我们看到，李清照怀着对赵明诚的爱，两个人一起切磋诗词、研究金石，“金石”也变成他们两人爱情的另一种形式了。后来他们又一起逃难，赵明诚走后，李清照以一生的爱写下许多灿烂的诗歌，这种爱是饱满的，当然也是哀伤的。

我们也看到赵孟頫和管仲姬这一对中国元朝的画家夫妻，彼此相爱，你侬我侬。管仲姬到年老时还可能保有年轻时的美貌吗？不可能，可是他们两人彼此投赠的诗词到年老时还在持续，我想，这真的是智慧。

我绝对相信爱情不会随年龄而衰老，它还是存在的，并不是因为我老了才这么说，而是我真正相信。就像我们看到很多八卦杂志，提到很多女明星老了之后，还是有很多年轻小伙子追求，她可能不是用青春去吸引，但她们一定有一些别的东西。

其实我们仔细去思考，青春是什么？它是非常短暂的，是肉体的情欲，而情欲的魅力是出自好奇，当它重复到一个程度，彼此都会疲倦、松弛。所以绝对不要倚赖青春、倚赖性爱，还是要把爱的支体扩大开来，让爱像一张网一样，把你真正爱的对象都网罗在里面。

这样说起来好像是在设一个陷阱，但是当你无限地把网扩张后，它就没有界线了，网就不存在了。

就像庄子说的一个故事，有一个人拥有一样宝贝，他每天都把宝贝带在身上，因为他觉得每个人都想窃取，他很不放心。有一天，他在换衣服时，差点把这个宝贝弄丢了，他觉得好难过。庄子就说，你觉得这个宝贝是你的，家人拿去就是失去，可是你如果把它想成这个宝贝是你家的，那么即使被家人拿去，还是在家里，还是你的。

他觉得有道理，就开始把东西放在家里。可是有一天，这个宝贝被邻居拿走了，他觉得很受不了，他失去了这个宝贝。庄子就说，你如果把这个宝贝当做是整个社区的，即使被邻居拿去，还是你的，不是很快乐吗？

后来，这个宝贝又被其他村庄的人偷走了……庄子就一步一步把他的爱扩大，最后就是“以天下为私”，如果你觉得这个宝贝是天下所有，那么不管它到哪里，都是你的。庄子的意思是人皆有私心，但可以把私心扩大到整个天下，这句话听起来很吊诡，可是，它就是一种智慧，非常难做到，但不是绝对不可能。用这种态度去面对自己最爱的东西、所有被你称为宝贝的东西、你最害怕失去的东西，你才不会害怕。因为没有一种东西是不会失去的，即使是在空间上你没有失去，总有一天你也会在时间上失去。

所有的“宝贝”你都只能暂时保管，用一种暂时保管的心情，去面对爱情，其实会好过一点、宽容一点。而且，既然是个宝贝，就绝对不会只有你一个人爱，如果只有你一个人爱，它就不是宝贝。这里面的冲突，自己慢慢去体会、去调整，当你失去的那一天，你会少一点愤怒、少一点怨气、少一点嫉妒——我只是说少一点，不是没有，因为连我自己也做不到。

情欲在我们的文化中，会变成一种恐惧，
而使人不敢去正面凝视。

第Ⅸ讲

情与欲

身体在人类的文化中一直是个蛮大的禁忌，大部分的文化，在牵扯到人的肉体和精神时，多半会得到一个结论：就是精神是比较崇高的，肉体是比较低下的。不管是印度文明、中国文明、希腊文明或埃及文明，都有这样的论点，希腊只是相较之下平衡一点的，却还是存在着对肉体的轻视。

前面曾提及柏拉图讨论“爱”的哲学作品《会饮篇》，在这篇作品里，柏拉图认为肉体是通向灵跟精神的一个过程，他很重视这个过程，所以在《会饮篇》中，他有很多对身体欲望的描述，包括人被天神惩罚，劈成了两半，终其一生在寻找另外一半。人为什么会有爱？因为本身不是完整的，因为欠缺才去爱；当人找到另一半，跟另一个身体合而为一的时候，才是完整的人。

就神话而言，这是了不起的象征，也是一个很肉体的象征。可是在《会饮篇》最后苏格拉底出现了，当天的筵席是为了庆祝一位年轻俊美的诗人得奖，他非常爱苏格拉底，所以就趁酒酣耳热之际抱着苏格拉底，想用自己的青春去交换苏格拉底的爱，但苏格拉底不为所动，并且说一个肉体是交换不了我的精神的。

这个结局还是跟世界上大部分的文明一样，倾向于轻视肉体，好像肉体发展到了一个程度后就上不去了，而精神却能不断攀升。会不会这样的一个倾向，几千年来影响着我们，使我们对肉体非常不了解，或者也真的认为肉体就是一个肮脏、污秽、卑下、动物性的？我的意思是，千百年来的文明把灵跟肉分割了，但这是健康的吗？还是说其实应该合在一起才是健康的？在柏拉图他们讨论的时候，肉体与精神还没有那么决然的划分，只是柏拉图希望能更多一点精神性的引导，可是接下来的基督教文明，就不这么认为了，它让灵跟肉变成绝对的对立，所以玛利亚生孩子是不能够有性的过程，在这个时候，肉体完全被视为堕落性的东西。

也因此发生了一个问题，这个问题恐怕一直到今天仍然存在，那就是如何借由客观的知识来描述人的身体？

人类长期以来不敢面对身体，是很危险的，启蒙运动以后，西方慢慢开始想要重建人对于肉体的认识，可是过去的阴影太大，所以为什么卢梭要把作品叫做《忏悔录》？因为还是不太敢面对，还是觉得是罪恶的，才需要忏悔。为什么明朝徐渭这么一个在当时难得有一点点觉醒的人，要把自己的年谱叫做《畸谱》？因为他对肉体的反应与众不同，他觉得自己是畸形的。

我常会建议很多人做自己的“身体备忘录”，记录下所有会让身体有反应的事物，我觉得这是非常重要的，当你开始描述自己的身体时，你才能开始认识身体，并且用平常心看待你的身体。

设下防范的关卡

一直到现在，还是很少有人可以坦然面对性带给身体的某一种愉悦。

如果吃到好吃的食物、听到好听的音乐，让你觉得好快乐，你会说出来。可是对于性的愉悦，却羞于启齿。同样的是官能上的满足，为何会有差别？

心理学家弗洛伊德把人的发展分为口腔期、肛门期等五个阶段，在他的眼里，这些感官是平等的，可是显然我们重上不重下，好像上面的器官是比下面的器官高级。就好像我们看到一个优雅的妇人，说着食物多么好吃的时候，不会觉得有什么不妥，可是如果她谈的是性官能的愉悦时，她就变得不道德了。

对于情欲我们设了很多防范的关卡，防范未必不好，但绝不是唯一的方法。要减低情欲，很重要的一部分是了解情欲。我特别重复这句话：情欲的减低来自于对情欲的了解。因为当你用合理的方法去了解情欲时，那种生理上的亢奋是会减低的。很多人误会接触情欲就会煽动情欲，其实是不一定。

在基督教的思想中，肉体是因为吃了苹果犯罪后被驱逐出伊甸园，所以肉体的原罪是无法摆脱的，但身处于非基督教文化的台湾，为什么我们还要接受肉体原罪的态度，把肉体视为罪恶且肮脏的东西？有洁净的身体才能迎接洁净的精神，身体应该是一个干净的殿堂，让精神入住，什么叫做干净？就是不要用污秽的眼光去看待身体，它所有的存在才会是圣洁、崇高的。

在中国文学的传统里，其实一直在处理情欲感官的问题，从《诗经》到《楚辞》，经过汉乐府到唐诗，都是比较倾向格律，是用理性去归纳感官的美学，有点像孔子所讲的："哀而不伤"、"乐而不淫"，意思是不管在快乐或忧伤当中，都不要走向极端。譬如说我因爱情感到痛苦，我就回来写诗，以诗的形式来转化、减低哀伤。中国文学很少会直接面对情欲问题，即使是后期的诗、散文，格律性都很高。你看《岳阳楼记》里描述风景的文字："衔远山，吞长江，浩浩汤汤，横无际涯；朝晖夕阴，气象万千。"三三四四的格律非常清楚。也就是说，我们的文学传统基本上是理性的，用格律去规范，因为要受限于形式，情感不至于太泛滥。

可是到宋元以后，戏曲、小说出现了，对于情欲的描绘就会比较直接，或者说试图有另外一种解放，我不晓得跟商业城市的发展有没有关系？宋朝以后，商业城市比较明显，也开始使用纸币，因为贸易发展到一个程度，用铜币交易就很不方便了。随着城市的发展，个人的部分也被凸显了，而个人的部分与情欲的主题会比较密切。

譬如《白蛇传》这个故事虽然起源于唐代的传奇，真正的发展却是跟宋代有关，西湖、雷峰塔、断桥都是在南宋的城市中发展出来的，我们会发现，它对于个人情欲的触碰相对就比较多。

在《白蛇传》中，许仙跟白蛇被描述成情欲，而法海则代表了道德，彼此相互对抗，也许最初这个故事是为了禁止情欲，没想到大家反而比较喜欢那个代表情欲的白蛇，而不喜欢代表道德的法海，投射出自己被压抑的部分。至于白蛇和许仙是情还是欲，就很难切割了，因为“情既相逢必主淫”，不能说他们游湖借伞相识只有情，没有欲，因为他们后来还是生了孩子。

更有趣的是，白蛇根本是一只动物，是“动物性”的存在，她在对抗法海所代表的神性存在时，所有的水妖、虾兵蟹将们都出来了，和天兵天将对决，这个是非常象征性的，代表人类所面临的神性世界与动物性世界的对决，当然，最后动物性世界失败了，被压在雷峰塔下。然而，民间却都很希望这座镇压住情欲的塔倒掉，所以一直编故事，编出《状元祭塔》，说白蛇的儿子长大后到塔前祭母，跪拜三百趟后，塔倒了，救出母亲一家团圆。

民国初年，鲁迅也写过一篇精彩的文章《论雷峰塔的倒掉》，是雷峰塔真的倒了，他听说后心里觉得十分欣喜。他很敏感地了解到，雷峰塔代表着道德、礼教，虽然礼教不能够少，可是却必须要能够严肃地面对情欲，才是一个健康的礼教，当它不能够面对健康的情欲，而是处心积虑地要压制时，情欲就会反弹。

基本上，礼教是规范情欲，但不是互相对立。礼教也应该随着时代调整，固执于压抑情欲、对抗情欲的礼教，反而会伤害礼教。我的意思是，礼教的罪人其实是制定压抑情欲教条的人，如果真的要让礼教的存在有正当性，就应该好好面对情欲，否则就是说谎，同时也失去对情欲的规范性，因为两者断裂了。

所以像《白蛇传》这样了不起的文学，就是提供我们平衡礼教与情欲的思考方向。

《白蛇传》里不能没有白蛇，也不能缺少法海，这是一个完整的情欲书写，平衡探讨情欲的问题。至于为何民间读到这个文本时，大部分都不喜欢法海这个角色，就是因为在现存的世界中，法海的力量太大了，所以我们会倾向于支持情欲。如果我们是处在一个情欲泛滥的世界，我想法海又会变成比较强的力量。

我们前面提到白蛇是情欲的表征，但其实青蛇这个角色是更“欲”化的。我看过很多不同版本的青蛇，这个角色非常复杂，大家现在看到的小青，是白蛇的奴仆，可是在云门舞集的《白蛇传》里，青蛇是一个跟白蛇不相上下的角色，她跟白蛇一起在抢许仙。在云门的舞台上，青蛇做了很多下腹部的动作，这个动作是非常欲望的，是性的动作。白蛇出现时，拿着扇子，大家闺秀的模样，但青蛇出现却是贴着地板，用蛇的腹部在走，充满了性欲。我想，林怀民在设定这个角色时，受到很多西方现代思潮的影响，所以他特别把青蛇释放出来，不再只是白蛇的小丫鬟。

我也看过另一个非常有趣的版本，是四川川剧，里头青蛇是男的，不是女的，他一直爱着白蛇，所以他跟许仙的关系非常奇怪。青蛇为了要陪白蛇出去游历人间，所以改换女装，用现代的语言来说，就是一个“扮装皇后”。他的原型是男性，但扮成了女性，他爱着白蛇，所以排斥许仙，很多次他都试图要杀许仙，当然其中就会有很多情欲的冲突。

情欲变成一种恐惧

基本上，宋代以前，中国文学是理性的，以格律约束情欲；宋元以后，很多话本小说搬上戏剧的舞台，欲望的描述变多了，而且在舞台上很容易用身体去调情，所以累积下来到了明朝，就诞生了《金瓶梅》。

《金瓶梅》在中国文学史上其实是属于异类，从来没有人想过可以书写“欲”书写到这种地步，几乎整部小说都是描写欲，情的部分很少，西门庆、潘金莲这些人，基本上都是被塑造成很原欲性、动物性的角色，而这里面可能牵涉到商业的发达、个人主义的解放、女性长期被约制禁锢后产生反弹等种种文化现象。

我们不要忘记《金瓶梅》的写作年代正好是中国压抑女性最严重的年代，女性可以用一辈子的生命去追求一面贞节牌坊。这样一个现象在当代的小说、戏剧中都受到批判。最有名的是汤显祖的《牡丹亭》，写一个十六岁的女孩透过死亡去完成情欲。游园惊梦那么动人，在当时影响很大，很多女孩子看完这个戏后就自杀了，因为她们觉得在死亡当中情欲才有可能表达。这就说明了一个社会对情欲的压抑到了不健康、病态的地步时，势必会出现反弹的现象。

《牡丹亭》里最惊人的部分是“惊梦”一段，柳梦梅跟杜丽娘在梦中性交，完全就是性交的描绘，非常直接，直接到惊人的地步，包括用花瓣飘落来形容女性的落红。最后十二月花神拿花把他们惊醒，说他们贪欢太甚。在官学、道学系统昌盛的明代，能够这么直接、这么大胆地书写情欲，可以说非常的另类。

在西方的启蒙运动时期，他们经由启蒙运动去认识情欲，卢梭写《忏悔录》剖白自己的情欲，就是让情欲走到一个比较光明正大、比较开放、比较健康的一个状态中。

我想情欲在我们的文化中，会变成一种恐惧，而使人不敢去正面凝视。连我自己以前偷偷看《金瓶梅》时，都会有一种罪恶感。不是它本身是可怕的，而是在一个道德系统当中，我们害怕去看、去接触。张爱玲曾说，她认为《金瓶梅》是远比《红楼梦》重要的小说，她并且举出很多例子说明《红楼梦》的书写受到《金瓶梅》很强烈的影响。她从一个女性的角度认真地读了《金瓶梅》，并公开推崇它，是很难得的。

但《红楼梦》绝对也是中国了不起的忏悔录。大家记得里面贾瑞这个人吗？他一直想要和王熙凤做爱，最后死在床上，遗精而死。欲望是可以把一个人折磨成这个样子的。贾瑞生病后，跛足道人给了他一面镜子，交代只能看反面，反面就是看到一个骷髅，他觉得好可怕，就把镜子反过来看正面，看到的是王熙凤向他招手，跟他云雨无数次，最后他就死在床上。曹雪芹要写的是欲望被挑起后无处抒发而陷入一个最痛苦的状态。可是这一部分被多数谈论《红楼梦》的人都自动过滤掉了，多数人看的还是林黛玉的情。

别忘了“情既相逢必主淫”，曹雪芹要讲的情跟欲是同一个东西，这也是他了不起的地方，就是隐藏在“情”的包装里对“欲”做了非常了不起的揭露，让《红楼梦》可以适应不同层次的阅读，有的人看到表层不愿意挖下去，但像张爱玲这样的人，就看出《金瓶梅》跟《红楼梦》根本就是一体两面。

有一次我跟白先勇聊天，他也讲《红楼梦》里不会随便用“玉”这个字，贾宝玉、林黛玉、妙玉、蒋玉菡，只有这四个人用到“玉”字，本来还有个丫头叫红玉，王熙凤就说：老叫玉，讨厌死了，改她叫小红。

而这四块“玉”也各有所指。黛玉、宝玉是仙缘，妙玉是佛缘，蒋玉菡是尘缘。妙玉因佛缘走火入魔地压抑情欲，最后下场是被强奸。而尘缘蒋玉菡则是一个反串的男戏子，他跟贾宝玉有过性的关系，贾宝玉后来挨打也是因为他。

白先勇提出这个“玉”的观念是非常有趣的，也可以看出曹雪芹为人物取名字取得很小心，每个名字都是有暗示性的。譬如贾宝玉的父亲一定要叫做贾政，他潜意识里面是最不喜欢这个父亲的角色，所以在命名时便意有所指其“假正经”。

《红楼梦》在情欲书写上有非常细腻的安排，在表达上也用了非常多的格律，使得一个纠缠形态的“欲”能升高到一个比较可以缠绵发展的“情”。我用“纠缠”“缠绵”这两个词，虽是一字之差，但是前者是解不开的，很苦，自己苦别人也苦；后者却是可以细水长流，缓缓进行，他可以有牵挂、有思念，也可以放下。情欲纠缠是一种折磨，而情感缠绵却是很饱满的东西。

我从来不觉得《红楼梦》的主角是宝玉、黛玉，我觉得所有人都是主角，甚至也可以说《红楼梦》里面的每一个人物都是我们自己。

可能过去我们会肤浅地说班上哪个人是林黛玉，哪个人是薛宝钗，在那边比来比去。但到了我这个年龄，就会发现《红楼梦》里面所有的人物都在我的身上，我有王熙凤残酷的那一部分，也有晴雯的悲壮浪漫，她又撕扇子又补裘，什么也没做，却被冠上勾引宝玉的罪名，最后惨死，死之前咬断指甲给了宝玉，叹一句：“早知如此……”我想，每个人一定也都有“早知如此，何必当初”的时候吧。

真正诚实地面对问题

十几年前我在媒体上看到一位女性“立法委员”的发言，当时台湾青少年性的问题非常严重，平面杂志媒体还曾就大学生做一个调查，发现男女同居的比率是百分之五十，而未婚生子和堕胎的比例也蛮高的。我记得很清楚，这位“立法委员”就在“立法院”上说：“我到十七八岁都没有感觉到性。”

她以自己为例，用一个个案的例子，作为思考点，因为她没有，理所当然别人应该都没有，所以这个问题在社会上应该是不严重的。这个推论让我觉得非常不可思议。我只能说，我们没有真正诚实地面对问题。

固然有可能如这位女性的情况，有些年轻人到十七八岁仍未感觉到性，可是也一定有一些个案，是非常焦虑地、茫然地在情欲里乱摸索；也一定有一些个案如作家邱妙津，在情欲中挣扎最后选择在二十六岁时结束生命。

她绝对是一个个案，但是对这个个案，我们不应该视而不见。

尤其在教育系统中，我们更不能够假设人是这么脆弱、这么没有判断力，所以不给予他关于情欲的相关知识。在政治上，我们已经尝到恶果了，解严以前的台湾就是假设老百姓不可能有民主知识，所以叫做训政时期，等到解严后要选举了，上面的反而不知道该怎么面对，政治搞得一塌糊涂。

人其实是有可能经由凝视真实的东西，反过来调整自己。

更何况我们不能在一个不理想的状况下，再预设更不理想的状况；我们的社会已经缺乏情欲的书写提供正当的了解情欲的管道了，还要去禁止阅读这些已经写出来的作品，这会误导大众，这种假设本身才是愚弄。

一如巴黎大学在启蒙运动时期所做的宣示：你不能假设别人无知，我们没有权利假设别人无知。

新闻局曾经讨论过是不是要为文学作品分级？我认为，文字本身有阅读的难度，他的能力和成熟度必须要发展到一个程度，才有办法去吸收文字的内容。凡是能够阅读文字，并理解文字内涵的孩子，他绝对已经到达一个可以讨论事情的状态了。

文字和图像、声音的阅读不同，图像、声音都是直接的，不管几岁的小孩都能够吸收到一些东西，所以像电视、电影会采用分级制来限制孩子阅听。可是，有分级制就真的能分级了吗？我觉得我们的社会常常自己骗自己。我也常常告诉一些父母，如果他们完全不知道自己的孩子在做什么，直到他打色情电话的账单寄到家里了，才怪罪社会有这么多色情的诱惑，是没有意义的。父母难道不能跟孩子沟通吗？为什么不问问孩子听到了什么？为什么渴望想去听？

如果我们把孩子当做是一个人在关心，而不是一个物，就会理解他在成长、他对性好奇是自然的，假设这个小孩一点都不好奇，这反而是一个很可怕的问题。所以父母恐惧社会带给孩子负面影响，其实是非常吊诡的，我想，是不是这些父母自己也不够成熟，在面对情欲问题时，他没办法跟孩子沟通、讨论，甚至可能担心孩子会轻睨大人，因为大人所能讨论的，还没有他们自己摸索得清楚。

我要强调的是“启蒙”，什么叫做启蒙？就是把蒙蔽的东西拿掉。没有启蒙，就没有对话，文学书写扮演的就是启蒙的角色，把蒙蔽的东西拿掉，让大家更逼近真相。

孤独面对生命关卡

邱妙津在《蒙马特遗书》里面诚实地描写自己，叙述自己无法度过这一关所以选择死亡。比较严重地来讲，是我们的社会杀死了她，因为我们的社会让她没有办法面对自己。

甚至在她自杀之后，小说在评审时，还有一位评审委员说：我知道她是台大的学生，我要叫我女儿退学，台大怎么出了这样的女生？

在评审会议上听到这样的话，我真的很惊讶，为什么这个女孩用了死亡这件事去剖白自己，我们还是不太能够面对。这位评审说完时，所有人都不敢讲话，他是一位佛教徒，道德感很强，我们也都很尊敬他，可是我不认为他说的话是对的。我就跟他讲，我也在读佛经，而佛经有一种很重要的东西，是悲悯。今天假设我跟邱妙津是类似的人、类似的生命，我在孤独面对生命关卡时，读到这本小说，我会觉得减低了一点痛苦，我会觉得这个世界上不只是我在承担这么大的苦难。邱妙津的作品要留在台湾，也许现在的社会没有让她继续活下去的可能，没有办法让她理解自己存在的意义跟价值，可是越多人读到这本书，就有越多人对不同的生命状态产生真正的宽容，并以涟漪效果扩散，这个社会才有可能进步。

否则我们成天喊着要宽容、要包容，都只是停留在口头上。有时候，口头上的慈悲是最大的残酷，因为说者根本没有办法有切身之痛。

情色的诱惑

谈到情欲，我们也要谈到在台湾曾有过多次讨论的一个问题——性工作者的正当性。

性工作者过去被称为娼妓，当然有着很大的道德上的贬抑，所以后来改换成“性产业”、“性劳动力”或者“性工作者”这类的名称。我记得在辅大还开过国际性的性产业会议，这对我们这一代来讲，是一个蛮大的刺激。因为我们从小接受的道德教育，几乎是“汉贼不两立”，情跟欲是不能混为一谈的。

今天，整个社会已经重新调整情跟欲之间的互动关系，也认可了欲望存在的必然性与欲望存在的一个状态，但不免有人担心，会不会造成欲望的泛滥？或者，在娼妓变成性产业之后，经过商业助长行为，会不会失去控制？

荷兰就是一个把性产业化的国家，他们划定一个区域，由政府制定法律管理，要抽税，也会有学术界介入讨论，把性产业变成国家主导的经济活动。可是在台湾，我们会发现在民间泛滥的性文化，常常是由黑道主导，谋取暴利，公权力难以介入，即使是商业也是个不公平的商业，当然更不会有任何一点点的道德与禁忌，所以性商品渗入青少年文化中，时有所闻，网络、光盘、漫画、色情电话……只要可以谋利，就有人做，丝毫不在乎购买的人是不是青少年？

在这样的状况下，青少年也几乎无处可逃。

贾宝玉在十四岁时欲望最强，但在大观园中，他还是会被引导作诗或者吃螃蟹、赏月这类的活动中，去平衡他的情欲。可是我们的青少年文化，封闭在一个狭窄的性欲望泛滥的世界中，几乎没有其他东西可以去平衡、去升华，而电视遥控器一拿起来，转转台，就会看到一个情色的画面跳出来，他怎么办？

而且很有可能这些图像的、影片的视觉感官刺激，是病态性的或虐待性的，青少年在不断地被刺激之下，可能逐渐变得麻木，而想要寻求更新的招数、更大的刺激，一直发展下去，就是一个令人忧心的问题。

在中学里面教书的老师，可能不知道他所讲的东西跟学生在外面接触的东西，之间的差距大到什么程度。这是一个很大的断层，上层严格禁止，下层却是情欲横流；青少年在上层得不到一点帮助跟鼓励，就全部沉溺于下层载浮载沉。

所以我反而会提倡，上层适度的开放，就去面对，为什么不能面对？为什么我们不能在课堂上讨论《红楼梦》里贾宝玉的梦遗？为什么我们要把《金瓶梅》删到几乎没有东西可以看？《水浒传》《西游记》《金瓶梅》《红楼梦》，哪一部作品的情欲书写会比 A 片更严重？

当我们的校园能开放阅读这些小书，我们的社会能够开放情欲书写时，自然就能平衡 A 片、色情漫画等图像式的性泛滥，让青少年在欲望难熬的时刻，能够经由文字得到纾解或者转换。

当然，影像的东西远比文字来得刺激、直接，这里我又会有一个疑惑，就是电影的把关者禁来禁去、剪来剪去的都是好东西，一部欧洲非常好的艺术电影因为几个裸露镜头被剪片、被列入限制级，而那种最烂、从头到尾都应该要禁的 A 片，却在民间泛滥得一塌糊涂，我常常觉得十分荒谬。

教忠教孝，却不教情教爱？

譬如法国电影《做爱后动物感伤》（*Post Coïtum, Animal Triste*）讲一个人欲望的痛苦与煎熬，给我很大很深沉的感触，这样一部好片，我们却觉得青少年不应该看，可是实际上青少年看到的东西，远比这部片呈现的严重许多。

包括我自己大白天在家里面看电视，都会跑出一些不堪入目的画面，更不用说上网搜寻会看到多少东西了，这真的是一个问题，在上层守着严格的道德主义，禁这禁那时，下层社会却是在一个无政府状态，恣意传播。

我想，我们需要的是一个全面性的探讨，而不是消极的防范。

而一个需要被探讨、很严重的问题就是，为什么我们的教科书里读不到情欲问题，为什么学校里教忠教孝，却不教情教爱？

我很希望学生在课堂上，读到一本很美的爱情小说或是几首情诗，让他保有对爱情的希望，才不会完全堕落到欲望刺激中。很多人担心谈情的结果，就是欲的泛滥，我认为正好相反，情反而是欲升华出来的状态。

尤其是在中学阶段，正在发育的过程，也是情欲最强势的年龄，很多动物性的东西在身体里面，是非常不舒服的。我在那个年龄时，女生我不清楚，男生之间玩性游戏是玩得一塌糊涂，因为好奇，就是好奇，我记得初中时每次露营，大家在帐篷里谈的都是这些东西。

所以当我看《查泰莱夫人的情人》时，得到好大好大的感动，英国作家D.H.劳伦斯（David Herbert Lawrence，1885—1930）把性描写成一如花的开放般最美、最自然的事，直到今天这样的年龄再重新翻阅这一本书，我还是会想流泪。

他不是直接写欲，而是把欲作为一个象征来写。他描述查泰莱夫人的丈夫因打仗下半身瘫痪，变成一个性无能者，而这个家族又是一个假贵族，每天都在喝下午茶，谈些有的没有的，然后他就描述查泰莱夫人是一个苍白的女人，她的生命好像干掉了，一方面是先生不太会照顾她、也不疼爱她，另外一方面是她在精神上不饱满。我绝对不认为这本书只是在讲说先生性无能，不能满足她，所以她去找情人，这是一个低级的解释。其实劳伦斯花了很多时间描述查泰莱的家族本身就像一个死亡幽灵的状态，看书中描写他们吃下午茶、晚餐，我都觉得是一群鬼在吃东西，里面唯一对生命还有渴望的就是查泰莱夫人。她好像还是希望活出什么来，所以她常常会难过，但她也说不出是为什么难过，因为衣食无虞。

所以她常常就会溜出去，走入森林，有时候会想把衣服解开，感觉那个清冷的空气、鸟的鸣叫、水在丛林中的流动，她好像回到了自然，而她是自然中一个活着的生命。然后有一天，她忽然看到一个工人在洗澡，看到他的身体，看到他腰部的肌肉，她忽然感觉到身体里面有一股激动。

这本书很容易被人认为是性欲主义，可是我一直觉得不是。为什么她的情人是工人？因为英国的维多利亚文化到了一个需要革命的阶段，这里面其实有阶层性，工人代表的世界没有假道学，所以她可以借着他恢复某一种生命力。

可惜的是到今天很多改编的电影，基本上还是往欲望跟低级趣味在发展，而没有真正呈现 D.H.劳伦斯在当时所感受到英国社会的那种苦闷与严厉的状态。

而我们是不是可以让初二或者初三的学生，就是已经与欲望有深切的关系，而且是最不能克制自己欲望的年龄的孩子，来读像这样的文学作品呢？

或者是莎士比亚的《罗密欧与朱丽叶》，读罗密欧与朱丽叶第一次见面时，那美得像诗的对话，以及在阳台边关于性的描述。有人觉得禁忌，不可以让孩子这么早看到，我却觉得就该在这个年龄看，因为这个年龄就是向往青春、向往爱情，不给他读，还禁止他碰，他当然就只能跑到另外一边去发泄他的欲望，就是看 A 片了。

情色与色情没有差别

《罗密欧与朱丽叶》跟 A 片，你会选择哪一个？

A 片是单一的欲望刺激，在刺激得到满足之后就是虚无感，他们不会快乐，所谓“做爱后动物感伤”，动物在性交之后会有一个忧郁期，其实就是一种空虚的感觉。可是如果加入一些精神性的，假设在性高潮之后，两个人拥抱或是双手紧握，感觉对方的存在跟体温，在那一刹那会感觉到一种精神性的存在，一种情感的饱满。

好的情欲书写会有这个部分的延伸，可是 A 片里面绝对没有。 A 片只有上床、下床两个动作，它只是在刺激器官。可是对于十几岁的孩子，他没有办法分辨，就会觉得人生大概就是那样、性爱就是那样，甚至他就用那个方法度过一生，我觉得那是很悲惨的。

我们可能会以为欧洲经济发展到这样的状况，又强调科技，应该是人心价值丧失了吧，其实不然，他们非常重视青少年文化教育。在法国，中学生还有情感教育这么一门课，做很多个案的讨论，让学生可以比较真实地了解一些问题。还有他们的媒体也没有什么乱七八糟的节目，多是着重在文化教育方面，当然文化教育不能八股，八股以后就是自绝于群众之外了。

这边的遏止，刚好是那边的开口，是我一直想强调的两面性的问题。我们越禁止孩子阅读好的情欲书写，就是越让孩子有机会去接触一些不好的情欲商品。

当我们在情色、色情、情欲这些字眼中绕来绕去，大概已经说明了对于自己生命里面，或者身体上的某一个部分的不敢面对。事实上，情色跟色情没有任何的差别，不同的是对于指涉事物的心理状态。

人往往在性行为中，会发现自己有最低等动物的部分，同时也有崇高的、宗教性的精神部分——当你跟另一个身体接触，达到某一种言语无法替代的时刻，你对对方的情感，我想是近于宗教的虔诚了。所以人在面对自身的情欲时，会有一种矛盾和尴尬，所以创造出许多替代词，因为光是性交会使人以为自己是一只动物，当人不满足于因为费洛蒙分泌所引发的生理现象跟行为时，就有了“做爱”和“敦伦”两种层次的升华。

但“性”这东西太复杂了，用再多的名词去称呼，都无法完全描述。

它不是一个单纯的事物，所以任何想把性单纯化的称呼，都是对性的一种损伤，或者说性的衰微，或者说爱情的衰微。在性这个行为当中，包含极大爱的部分，也包含极大欲的部分，两者是不能分开的。

在D.H.劳伦斯的《查泰莱夫人的情人》这部小说中，有一段描述我觉得相当感人，就是查泰莱夫人与一个男人在身体上取得一种极高的默契，当他们结束性的动作后，两个人眼中都含着泪水，然后他们拥抱着，感觉到对方的体温。查泰莱夫人说我们同时结束了，这个男子说在世界很少人如此。

我们在中学偷看这部小说时，是当成色情小说看，那时候不懂，即使成年之后应该也很少人会懂，为什么他们会流泪。很少有一对男女在性行为时，是真正把身体交给对方的，也懂得对方的身体，同时感觉到对方也感觉到自己。很多性是在发泄自己，很多性是委屈自己，可是性达到某一个状态时应该是双方面彼此的完成，而不是谁占了谁便宜可以衡量。

事实上，性很容易被低级化成欲望的发泄，或是权力的角力，尤其在男性主导的社会中，性是一种权力，在性行为中，很明显地标示出主从位置，可以看出谁是主人、谁是奴隶，哪一个是委屈地顺从满足对方，哪一个是不断在对方身上发泄自己的欲望。在几千年以男性为中心的父权架构中，女性长期扮演的就是男性欲望的发泄对象，她的欲望是不能拿出来被讨论的，否则她就是一个淫妇，她也不能够有反应，只有男性才可以有反应。当社会形成这种“威而刚文化”后，就变成男性本身可以不断地夸耀，而女性一旦夸耀，就会变成不道德。

性有一个崇高的状态，但这个状态在人类社会，并不是那么容易完成，这也是我为什么觉得《查泰莱夫人的情人》是一部非常重要的小说，他从性宗教的角度去书写。当然他也可以降低到世俗程度，去表现权力，就像一个人到妓院去，花钱购买一个身体来发泄他自己，他不需要去关心对方是不是感到痛苦，这时候的性就是权力的直接表现。

电影《大红灯笼高高挂》就是在描述中国封建体系当中，男性不断用娶妾的过程来展示权力。每一个妻妾在晚上点着一盏灯笼，最后灯火熄灭，只有一盏是亮着的，她就是今晚被宠幸的女人。所以这些女人每天晚上就仰望这盏灯，这当然是权力，一如古代帝王拥有的后宫三千佳丽，这些女人一辈子苦苦守候着，她不能不守候，因为永远活在一个没有断绝的希望中。

当性已经被高度的欲望化，不只是生理欲望，更是权力欲望时，对于男性而言，他会很害怕权力的消失，所以到了七八十岁，还要那么努力地去找威而刚，这是可以理解的。但是为什么没有一个七八十岁的女性，要去证明她的性欲望呢？因为三千年来，她的权力和欲望已经被剥夺到自己也以为没有。不只是七八十岁的女性，甚至是非常年轻的女性，都觉得自己“本来”就没有性的欲望。

由此更能看出，人类的性是极其复杂的，与动物的性截然不同。动物的性有周期，完全为了传宗接代而发生性行为，主宰性欲的不是自己，是自然，或者说是超自然的神。所以从植物到动物都有生殖的现象，性也仅止于生殖，没有太多个体的意志。可是人类的生殖跟性是可以分开的，尤其是在现代，性可以透过避孕而排除掉生殖的目的。这时候自我的意志就出来了，人的自我就是像主宰动植物生殖的神，他可以判断他要什么、不要什么，他可自己控制性行为的发生和不发生，所以人类性行为的周期性不若动物那般明显，他可以用自己的意志在一天二十四小时内随时发生，譬如他可以看A片、看色情小说刺激自己，让自己爆发出欲望。人的性行为是比动物拥有更高的自主性。

在这样的情况下，你如何去主导性，就会是一个很微妙的问题。我今天不用道德判断，而是从一个较客观的角度来说，为什么要有性行为？我不认为我们还是在延续儒家的想法，“敦伦”是要完成伦理，就是为了生孩子，其实百分之八九十的人发生性行为，不是为了生小孩，那么是为了什么？

是为了爱？那为什么不是去看电影，或者去散步，牵手散步是很好的爱的表达方式，不是吗？我的意思是，我们在为性行为找各种冠冕堂皇的理由，却不敢承认性本身是欢愉的，也就是说在做这个行为时，我们的感官会得到很大的快乐。

男人的动物性本能

动物的性只有生理层次，没有心理层次，人类的性有心理层次，同时也有生理层次，我们不见得要避讳这个部分，因为它确实存在。当我们可以很客观、很冷静、很理智地去分析时，就会发现，我们混淆了伦理的崇高性、爱情的精神性和性的官能性，哪一种是你发生性行为最主要的元素？是我们今天谈情欲的第一个起点。

看A片、看色情小说所引起的欲望，和看见一个非常喜欢的人所引起的欲望，以及为了传宗接代引起的欲望，是不一样的，当我们可以很诚实地讨论这个问题时，就会发现，每个人都可能是最低等的动物，也可能是最崇高的神——当你可以完全奉献自己、完全感觉对方，到一种几乎要流泪的程度时，就是抵达性最高的层次了。

不过，人很难去检视自己的情欲，因为性本身的官能性太高了，比喝酒更容易让人陶醉而迷惘，在这个行为发生时没有机会反应或者思考，在行为发生后，也可能就呼呼大睡，无法冷静地去反省。男性特别明显，当我和朋友在聊这些事情时，常会听到男性朋友说，我很累、我很疲倦呀，所以就睡着了。可是对方呢？如果对方没有睡着，而是在冷静的反省的状态，而男性睡着了，这之间的落差就会有种虚无跟荒凉的感觉。所以男性的性长期以来就当做是一种动物性的本能，应该也是这个原因。

的确，在动物世界中，雄性动物只是负责交配的过程，很多的雄性动物在交配完以后就死了，因为他的功能就是如此，接下来就是由雌性动物去负责完成生殖的使命。可是，我相信人跟动物绝对是不一样的，尽管人延续了很多动物性的官能反应，但其实我们是可以做更深入的思考，把它当做生命一个大课题加以检视，用理性去面对，而不是做完就睡着，就没事了。

我们不要忘记儒家讲“性情”，有一个字就是“性”，只是后来我们把两件事混淆了，这个词也变成一个人的性格脾气。而子贡说：“夫子之言性与天道，不可得而闻也”，这里的“性”也与人的本质存在和其他官能上的需求有关。儒家因为很强调人跟动物的差异，慢慢丧失了人跟动物也有相同部分的探讨，但今天我们要谈情欲这个主题，就不能避免掉这个部分。

当我们一味地想避开人类也有动物性的讨论时，就会分裂，在台湾社会中这种现象很普遍。我的男性朋友私下谈论情欲时，是非常非

情欲纠缠是一种折磨，

而情感缠绵却是很饱满的东西。

常动物性的，这个部分的他在正式的礼仪世界中，完全不存在。这是一种严重的分裂，但他可能没有知觉，他不知道自己在夸耀怎么玩、怎么嫖妓时，他其实是属于动物性的，因为我们的社会否定这个部分，使他不愿意去面对、去承认自己的分裂。

无知地带的禁忌

诚如我一直强调的，如果不能以诚实做基础，没办法谈情欲问题，但诚实很难，因为这社会已经长期习惯分裂的状态。我们小时候问妈妈，我从哪里生出来？永远得到一个错误的答案，它是避讳的、禁忌的，所以小孩子从来也没有一个健康的或者正确的知识来源。我曾经看到报纸上一个十七八岁的女孩，写信问医生，他的哥哥洗完澡后，她继续洗同一池的水，会不会怀孕？看到这样的例子，就算是一个特例，都会让我觉得紧张，我们越避讳谈这件事，我们的孩子就越无知。

用“无知”是一个蛮重的字眼，但也反映问题的严重性和严肃性。人类的科学、文学、艺术都是在探索一个我们仍一无所知的领域，用各种方法让“无知”变成一个清楚的、可理解的“有知”。文学里的情欲世界也是如此，因为情欲仍然是人类一个巨大的无知地带，存在太多我们自己造成的禁忌。面对它唯一的方法，就是知识，让每个人对于自己的身体、自己的欲望有一个很合理的了解。

就像我跟学生上课讨论到这件事时，学生说我们做爱是为了传宗接代，我会说：“你不要骗我，你如果已经做了避孕措施，接下来你就不是传宗接代。”为什么还要打迷糊仗呢？为什么不能说“我就是要做这件事”呢？要让孩子从无知变有知，很多细节就要分析清楚，让他了解当他发育到什么样的年纪时，身体会有哪些反应和变化，还有哪些欲望，那可能是与情爱无关、与传宗接代无关的。

很多孩子不了解身体的欲望，是因为大人不敢说。我们的父母跟老师，未必能够就“我从哪里生出来？”这个问题提供一个正确答案。不是他们不知道，而是不敢说，这是一个态度的问题。

这不能怪他们，我相信他们的成长过程中，也都是靠自己摸索。我便是在无知的状况下，自己去翻小说、看电影，慢慢了解了礼教跟情欲之间的关系。幸运的是，我读到的是好的情欲文学作品，如果我的性知识是来自 A 片，或是一些强调动物感官的色情文学，会是什么样的状况呢？

谁在负责教授我们的孩子性知识？如果是 A 片，你又怎么能怪他？

我较不能够理解的是，到今天成人还是在禁止孩子看未删情节版本的《金瓶梅》《西厢记》《查泰莱夫人的情人》，甚至是《红楼梦》里面描写性的片段，这些都是最严肃的情欲书写，孩子却无法阅读，而其中被视为禁忌的不只是欲，连情的部分也是，我们不禁要问：孩子要读什么呢？这样的文化最后会形成什么样的东西？

过去我读到的是删节版的《金瓶梅》，把一些可能会造成“坏”影响的情节都删掉了，反而刺激我去幻想，简单说就是“脸红心跳”，只要看到一点点的暗示就紧张得要死。后来我买到日本出版万历本的全本《金瓶梅》，突然发现里面最惊人的不是性的描述，而是冷冷地看着一个人把自己的生命玩到一种令人觉得难过跟恶心的程度，你没办法想象怎么会把一个人绑在葡萄架上玩，怎么会把人当做动物玩？我看完觉得很难过，而在难过后开始有了反省。

这是 A 片里面不会有的，A 片只着墨在动物官能的刺激和满足，看完后会让你想要寻求发泄，它引发的是感官的欲望；可是看完《金瓶梅》，你不会想这么做，你会开始反省、开始思考，因为它是严肃的。

让等待变成一种态度，一种心态，
一种新价值。

第X讲

新食代

谈生活、谈文化，都离不开食衣住行这四个基本条件，甚至有时候你会发现，构成你的生命记忆的，就是这些看起来很简单、很平凡的琐碎小事，而人生艰深复杂的哲理，也是从微不足道的食衣住行中实际体会出来的。

我们说“食衣住行”的这个顺序，食是排在第一位，表示这是最重要的，可是工业革命之后，食这件事却是第一个被糟蹋、被忽略。你会发现周遭很多人对吃什么、怎么吃，其实是很漫不经心。在中午用餐时间，到都会区看上班族们吃饭就会了解，我真的很怀疑他们吃得那么匆忙，到底知不知道自己吃进去什么？

“食”的回忆与记忆

很多人都知道法国人不喜欢快餐，他们也常反问我：“你们为什么要快餐？”吃饭是一个好快乐的过程，吃饭的时候可以跟很久不见的朋友或是家人，聊聊彼此发生的事，当然需要很多时间，这是一件很重要的事情。

法国的这些文化会不会因为商业化、物质化的潮流而被淘汰？有一段时间我也会担心。但我想是不会的，尤其是在欧盟成立之后，更能阻绝美国高消费文明的进入。看他们的电视节目和广告，又让我更有信心。法国的广告基本上还是老式的，相较之下是笨拙的，不像我们的广告花招百出，做得很炫。他们已经了解到，这样的广告没有用，消费者很成熟，不容易被骗，所以他们不需要花那么多的心神去用广告包装来骗人——我想这里面就是一个社会成熟的过程。

然后，他们也意识到电视媒体在美国社会商品化的过程中影响力之大，所以法国和德国就共同组成电视台，制作非常好的节目，收视率还是最高的。

过去我不太相信文化可以打败商业，但法国文化让我充满了信心。我又再想一想，其实在古代就有这样的案例。善本书、苏州的刺绣，都精致得不得了，而且一直到现在都没有消失，这就是文化战胜商业。低劣的、粗糙的东西有一天是会被淘汰的，好的东西会被留下来，为什么我们会没有信心？

我们自己也可以去抵抗这些低劣、粗糙的商品占据生活。假如朋友约我假日去快餐店吃饭，我一定转头就走。好不容易周休二日，可以在家里烹煮一些食物，即使是包个水饺都好，为什么要吃快餐呢？如果今天时间很匆忙，没有办法坐下来好好吃饭，那么买快餐没有关系，但既然是休假日，为什么还要赶时间吃“快餐”？那么你把时间剩下来要做什么？

我很想去影响下一代，让他们不要太倚赖快餐。所以我会找学生到家里来包水饺，从揉面团开始，告诉他们怎么样去把韭菜烫熟，怎么切丁，教他们分辨绞肉跟剁肉是不一样的，经过刀剁的肉，多么有弹性，多么好吃。那天，他们带回去的回忆好多好多，这个回忆和吃粗糙快餐的过程绝对不同。

曾经有法国来的朋友问我：“台湾人这么喜欢吃到饱，是因为吃到饱很难吗？”法国人没有人会说自己是狼吞虎咽的人，而会说自己吃得优雅、很精致，因为前者是很丢脸的。

当然不是说一定要吃得精致，或是不能走进吃到饱的餐厅，重点是你自己要快乐。我在吃到饱餐厅看到一个正在发育的小孩，爸爸叫他吃到饱，说多吃一点才划算，所以孩子就拼命拿，盘子里的食物堆得跟山一样，光是水煮蛋就拿了七颗。我想，那个孩子真的被爸爸害死了，他需要一次吃七颗蛋吗？

如果我们是抱着“多吃一点才划算”的心态，就是物化了。划得来吗？实际上赔得更多，赔掉孩子的道德，赔掉孩子的味觉，赔掉孩子身体的美。为了区区几百块钱，全部都赔掉了，我觉得非常荒谬。

你可以想象岛屿上的下一代，是用一种“吃到饱”的心态去作为衡量一切事物的最高标准，他的性、他的伦理、他的婚姻都要“吃到饱”，否则不划算，不是很恐怖的一件事吗？如果从最基本的社会道德价值再去衡量，怎么会让一个孩子吃成这样？应该是教他怎么吃，才能营养均衡，不是吗？

自然永续的循环

现在很多人都在检讨，二十世纪因为西方工业革命让人力干扰自然，造成污染和危害，所以提倡环保，试图恢复有机生命状态。这个行动是出于“地球只有一个”的观念，我们不能把所有资源在短时间内全部用完，应该顾虑到地球甚至整个宇宙的平衡问题。这个认知，不应该只是一种知识，而要成为一种生活信仰，如果只是知识，就会导致为了要很快吃到一棵植物或一只鸡，就打生长激素、加农药，让它快速成长，而这个方法是不健康的。

所谓的有机就是一切东西都可以再转化、再延续，而不是一个速成、绝望的状态。它可以很安静、很沉默，却是源远流长的。我们现在常用两个字“永续”，物质的永续状态，或是生命的永续状态，就是有机。我们可能都以为自己知道什么是有机，就像我以为小时候看到用人的粪尿当肥料，就是有机，后来才知道，因为食物的关系，现代人的粪尿也被污染了，人的粪便里可能含有大量的铜。即使是用来当肥料，都不是有机。

十九世纪前，人类还没遭遇到这么大的元素失衡问题，这真的是二十世纪以后人类的难题，造成的原因可能牵涉到人口的增加、经济的发展、工业革命等等，我们会希望在未来，能有些调整，加以制衡，但还是有很多困难。

这几十年来，台湾的经济有很大的进步，但同时我们对“进步”这两个字也开始有所怀疑，可能在富裕的同时，土壤坏了、空气坏了、水坏了，我们付出不小的代价，也让我们生活在“食物的恐惧”中，不知道究竟吃进去什么东西。现在有一些人开始提倡“有机”，我想这不只是农业的问题，而是牵连到整个大政策，包括政治、经济、生活质量等层面，让我们能做更多的反省。

所以我们会发现，关心有机农业的不只是农友，可能也包括家庭主妇，她也会想在家前面的小小阳台中，种植一些能改善饮食生活的蔬菜。或者，是自己买一块地来种植的梦想家，他们会想用有机农业来实践自己的生活哲学。这个我要特别提出来，因为我到荷兰时住在一个朋友家中，这个朋友就是丘彦明，她原本是联合文学的编辑，后来嫁到荷兰去。我们发现在荷兰有个现象，很多住在城市里的人，会在近郊租一块农地，每天骑着脚踏车去看自己种植的农作物，所以农地上插满了牌子，标示这是谁的农地。在那里种花、种蔬菜的都有，小区里也会固定一段时间办比赛，请专家来鉴定，看谁种植的方法最符合自然农法，而且种得最漂亮。丘彦明本身是编辑也是作家，所以她每天就用文字记录自己种的菜和花成长的过程，我觉得蛮感动的。

荷兰和台湾的面积、人口都很像，将来我们是否也会有类似的方法去推广自然农法？目前我们的公寓是不太可能做到，可是将来是不是有可能由“政府”提倡，让都市的人也有一块农地来做农夫？

说真的，都市人要圆有机农夫梦不太容易，光土壤就是一个问题，不易取得，也没有适当的空间做堆肥。这些问题在我小时候几乎不会发生，那时候我们住的地方一定有个院子，院子里就有土，果皮吃完就埋在院子里，肥也会有人固定来收，我记得那时候我还很喜欢追水肥车，就会被大人骂很脏。

有机是个大理想，不是一下子就能达成，需要大家慢慢去重新反省过去生活里的很多问题，并从中做一点调整。譬如建立一个观念，好的食物即使再贵都要买。吃好的食物，让身体健康，同时也可以避免产销不平衡的问题。我常常下乡观察到台湾农业产销不平衡的问题，大量的蔬果就放在路边烂掉，看了让人觉得好伤心。

用心与有机

还有，要认真地看待“吃”这件事。我觉得囫囵吞枣、大吃大喝，或是随手抓个汉堡往嘴里塞，都不够认真，这样吃不但吃不出食物的味道，也间接鼓励了生产食物的人，可以为了求快、求量，忽视质量，会用生长激素去缩短一只鸡的成长时间，或者洒农药让菜长得快一点、漂亮一点，却失去了原本该有的营养。我的意思是，如果你真的在意“吃”这件事，愿意去感受食材的新鲜度，愿意花费时间去了解一道食物从材料、处理到烹煮上桌的过程，甚至愿意用很多道程序去料理一样食物，你才会知道什么是真正的“有机”。

也唯有如此，你才能体会到食物里的情感。我们吃东西，不只是求饱，也在消化一份情感，土地的情感、物的情感、人的情感。我们常听到异乡工作的游子，吃到一样东西，觉得有妈妈的味道，觉得很感动。他吃到的这个味道，不是单纯食物在料理后的甜或咸或辣或甘，他吃到的是一份记忆里的母爱，一股乡愁。

如果你常到传统市场逛的话，就更能体会我说的食物里的情感。小时候我常跟母亲到传统市场买菜，会听见很多熟稔的摊贩老板，不断提醒你：“今天有新鲜的菜哦，刚摘下来的。”“今天的鱼很好，要不要买一点？”当你从他们手中接过这些食材的时候，绝对跟你直接从超市、卖场的冷冻柜拿到的感觉，完全不一样。

若是你能亲手栽植或养殖食物，就像小时候我母亲会在后院种空心菜，或是街坊邻居会养鸡养鸭等年节时宰杀来吃，你参与了一个从无到有的过程，你会更珍惜，也更能够体会到有情感的食物和没有情感的食物之间的差别。

因为只有跟土地很接近的人，他会把手中的生命，视为婴儿一样，感受到植物的脉搏、心跳。作家黄春明在小说中描述他在兰阳平原农家长大，老祖父会带着他们在稻田里头走，告诉他们：你要去听稻子在长大的声音，他一直很努力听，却听不到，但祖父是听得到的，他能听见稻子在抽长的声音。

一个能听见稻子抽长声音的人，一定知道如何选择食物，不会为了“多吃一点才划算”，坏了自己的味觉。

在新食代学会等待

饮食的问题这几年来谈了很多，我想这些问题的源头是现代人需求太多，太过于急躁了，所有的东西讲求速成、大量，为了求方便，很多事情都不讲究了。如此一来，我们失去的不只是味觉，不只是饮食文化的精致性，还会失去人与自然之间的平衡，例如为了喝鲜乳，强迫母牛不断地怀孕，以分泌乳汁，母牛挤出的乳汁都制成牛奶，那么小牛喝什么呢？

就像佛家说的因果循环，最后这些恶果还是会回到人的身上。促进乳牛产奶的荷尔蒙会造成人体发育过早的不正常现象，肉类里面的抗生素会让人体容易过敏，或是让体内的病原菌产生抗药性，而农药、化学肥料造成的土地沙漠化现象，更会让粮食问题越来越严重。

其实有一段时间，我不太愿意去听这一类的话题，越听越不知道怎么活下去，什么东西都不能吃，水也有问题，空气也有问题，还会有人告诉你今天最好不要出门，因为紫外线太强。 我想活在那样的恐惧里是不好的，不健康的，倒不如从正面思考，我们可以做些什么？

在新食代，我们是不是可以试着缓下自己的脚步，少吃一点，吃好一点，并且学会等待，等待花开、等待果熟，等待不同季节的不同食材，等待一道食物用繁复的手工步骤细心料理。

只有让等待变成一种态度，一种心态，它才会成为生活中的信仰，成为我们作为人的新价值。

新出图证（鄂）字 03 号

图书在版编目（CIP）数据
生活十讲 / 蒋勋著. -- 武汉：长江文艺出版社，2017.7（2020.6重印）
ISBN 978-7-5354-9285-2

Ⅰ. ①生… Ⅱ. ①蒋… Ⅲ. ①散文集－中国－当代 Ⅳ. ①I267

中国版本图书馆 CIP 数据核字（2016）第274403号

著作权合同登记号：17-2016-2349
本著作物经厦门墨客知识产权代理有限公司代理，
由作者蒋勋独家授权，在中国大陆出版、发行中文简体字版本。

策　　划：刘　平　　　　责任编辑：吴　双　今　夕
封面设计：TEAYA　　　　责任校对：许　罡
责任印制：张　涛

出版：长江出版传媒｜长江文艺出版社
地址：武汉市雄楚大街 268 号　　　　邮编：430070
发行：长江文艺出版社
北京时代华语国际传媒股份有限公司　（电话：010-83670231）
http：//www.cjlap.com
印刷：北京中科印刷有限公司

开本：880毫米 × 1230毫米　1/32　　印张：8
版次：2017 年7月第1版　　2020年6月第16次印刷
字数：200千字

定价：48.00 元